D0358124

TOTAL RECALL

PIERS ANTHONY

TOTAL RECALL

VOYAGE AU CENTRE DE LA MÉMOIRE

d'après un scénario de
Ronald Shusett, Dan O'Bannon
et Gary Goldman

Adopté par
Ronald Shusett, Dan O'Bannon
et Jon Povill

PRESSES POCKET

Traduit de l'américain
par Philippe ROUARD

ISBN 2-266-03941-5

1

MARS

DEUX lunes flottaient dans un ciel rouge sombre. L'une devait faire environ quatre fois le diamètre de l'autre et n'était pas tout à fait ronde. De fait, toutes deux avaient plutôt une forme d'œuf : un œuf de poule, et un de passereau. On aurait pu encore les comparer à des pommes de terre, l'une grosse, l'autre petite.

La grande était Phobos, ainsi nommée car elle représentait la peur. La petite s'appelait Deimos, ce qui signifiait la terreur. Ces noms étaient ceux des compagnons de Mars, l'ancien dieu de la guerre et aussi du printemps.

Le paysage de Mars n'était que laideur. De tous côtés, et jusqu'à l'horizon — plus proche que celui de la Terre — on ne voyait que roches nues, déchiquetées. Le sol semblait avoir subi quelque bombardement cosmique. Dénudé, stérilisé, il s'étendait tel un no man's land absolu.

Douglas Quaid scrutait le terrain devant lui. Vêtu d'une combinaison spatiale, il portait un appareil respiratoire, la pression atmosphérique étant ici cent cinquante fois inférieure à celle de la Terre, et la température de l'ordre de cent degrés Fahrenheit au-dessous de zéro. Il y aurait eu de la glace si l'air raréfié avait contenu assez d'humidité pour cela. La moindre imperfection dans sa combinaison, la moindre éraflure sur l'arête d'un rocher l'auraient condamné à une mort instantanée. Le seul avantage que possédait Mars sur le vide interstellaire était sa pesanteur : légèrement supérieure à un tiers de la gravité terrestre. Au moins pouvait-on y marcher et avoir une certaine notion du haut et du bas.

Quaid n'avait guère besoin d'une faible gravité pour se déplacer avec aisance. Grand, massif, sa puissante musculature bosselait sa combinaison spatiale. Il se dégageait de lui une force brute, et, derrière la visière du casque, ses traits ciselés exprimaient une volonté implacable. A l'évidence, il n'était pas là par hasard. Il avait une mission, et rien ne l'arrêterait, pas même l'enfer de Mars.

Comme il se retournait, balayant lentement l'horizon du regard, il se trouva face à la plus grande formation montagneuse connue dans le système solaire : le mont Olympus érigeant dans l'espace martien sa masse de près de vingt-quatre mille mètres de haut, soit plus de trois fois la hauteur de Mauna Kea, la « montagne blanche » d'Hawaii, dont la plus grande partie est immergée sous les eaux du Pacifique. Comme sa petite cousine terrestre, l'Olympus était d'origine volcanique mais d'une tout autre dimension : plus de cinq cents kilomètres de diamètre à sa base, ses contreforts sillonnés de flots de lave pétrifiés. Une falaise abrupte de trois mille mètres de haut en faisait étrangement le tour complet, tel un rempart colossal. Le mont Olympus était un prodige capable de laisser pantois d'admiration même un homme comme Quaid.

Il y eut un bruit presque imperceptible derrière lui. Quelqu'un approchait : une femme. Quaid se retourna, mais sans manifester de surprise, comme s'il l'attendait, et il la regarda d'un air appréciateur. Elle valait le coup d'œil : femelle aussi somptueuse qu'il était mâle. Derrière la visière de son casque les cheveux étaient bruns, et les yeux grands et noirs. Elle lui rendit son regard, et son attitude témoignait de la sympathie, voire de l'attirance qu'elle éprouvait à son égard.

Mais ni le lieu ni l'instant ne se prêtaient aux amours.

Et auraient-ils eu le désir de s'unir, leurs combinaisons les en auraient empêchés.

Se détournant, elle se mit en marche dans la direction d'une montagne à la forme pyramidale à laquelle Quaid n'avait pas encore prêté attention. Bien que considérablement plus modeste que l'Olympus, elle n'en était pas moins impressionnante. La symétrie de ses faces la rendait presque artificielle. Comment un relief aussi étrange avait-il pu se former sur Mars ? Après tout, ce n'était pas un mystère plus grand que celui de ces traces laissées çà et là par des extraterrestres, preuve que l'homme n'était pas le premier à fouler le sol martien.

Ils parvinrent en bordure d'une cuvette grossièrement arrondie. Le ciel de Mars rougeoyait au-dessus d'eux. Au centre de la cuvette d'une dimension immense, un puits s'enfonçait si profond dans le sol qu'on ne pouvait en distinguer le fond. Quaid contempla l'abîme où l'ombre s'épaississait. Etait-ce une cavité naturelle ou bien un ouvrage façonné par l'homme ? L'émotion qui l'avait saisi n'était pas seulement due à la taille et à l'étrangeté des lieux. Il pressentait que sa présence ici, en compagnie de cette femme, avait une importance qu'aucun autre humain sur Terre n'aurait pu soupçonner.

La femme s'éloigna de quelques pas pour soulever un câble finement tressé qui était arrimé à l'un des gros rochers bordant le puits. Comme elle revenait vers lui à reculons, tirant le câble, il remarqua que celui-ci était enroulé sur un tambour semblable à un moulinet de pêche et monté sur une large ceinture.

Elle se rapprocha de lui, passa autour de sa taille la ceinture dont le fermoir cliqueta dans son dos. Le moulinet était maintenant devant lui, l'extrémité du câble attachée au rocher.

Quaid examina le moulinet. La finesse du câble permettait d'en enrouler une longueur considérable. Il tira dessus de ses mains gantées afin d'en éprouver la solidité. Muscles bandés, il accentua la traction. Ça tenait. Il fit alors une boucle et invita la femme à s'y asseoir. Elle obéit, s'assurant une prise sur le câble afin de rester en équilibre, et Quaid la souleva en tirant d'un seul bras. Elle ne devait peser guère plus de vingt kilos dans la gravité de Mars, mais il était évident qu'il aurait pu soulever deux fois son poids avec la même aisance. Elle lui sourit, et il lui rendit son sourire en la reposant à terre. Le câble ne risquait pas de se rompre.

Le moment des adieux était venu. Gênés par leurs combinaisons, ils s'étreignirent, entrechoquèrent leurs casques, simulant un baiser. Puis Quaid s'écarta d'elle et s'approcha du bord du puits. Se plaçant face à la roche, il empoigna le câble et se laissa glisser dans le vide.

Un autre homme aurait assuré sa prise en passant le câble sous sa jambe, comme procède tout alpiniste descendant en rappel. Quaid, sûr de sa force, se contenta de laisser filer le câble dans ses mains en se repoussant des pieds pour ne pas frotter contre la paroi. Un jeu d'enfant !

Il s'immobilisa quelques mètres plus bas pour lever les yeux vers la femme qui, penchée par-dessus bord, observait sa progression. Son buste parfait et la masse sombre de ses cheveux sous le casque translucide se découpaient dans le ciel où flottait Phobos, la plus grande des deux lunes. Une vive émotion s'empara de Quaid. Comme cette femme était belle !

Mais il avait une mission. Il lui adressa un signe de la main et reprit sa descente. S'apercevant qu'il pouvait se dispenser d'utiliser ses mains en réglant le frein du moulinet, il continua de descendre, plus détendu et libre de regarder autour de lui.

La lueur lunaire lui révélait des détails qu'il n'avait pu remarquer depuis le bord du puits. De gigantesques tuyaux semblables à ceux d'un orgue colossal montaient à la verticale des profondeurs insondables. Ce n'était certainement pas de la musique qui devait s'en échapper. A quoi pouvaient-ils donc servir ?

Il ressentit soudain une secousse à la taille. Le frein du tambour semblait avoir lâché. Il agrippa le câble mais, malgré toute la force de sa poigne, celui-ci continua de se dérouler avec une vitesse effrayante.

Quaid chutait, et tous ses efforts pour ralentir sa chute demeuraient vains. La paroi, les mystérieux tuyaux et le vide nimbé de la lumière pâle de Phobos tournoyaient jusqu'au vertige.

« Doug ! » Le cri d'alarme de la femme lui parvint de tout là-haut.

Trop désorienté par sa chute, il ne put lui répondre.

« Doug ! » Cette fois, l'appel lui parut faible, lointain.

L'abîme se remplissait à présent d'une intense lumière blanche, et Quaid sut que sa fin était proche.

Etrangement, il n'éprouvait aucune peur.

2

LORI

QUAID se réveilla en sursaut. Il se trouvait dans son lit, sur la Terre, en totale sécurité. Une douce lumière matinale baignait la pièce. Comme il reprenait ses esprits et que son cœur retrouvait un rythme normal, il comprit qu'il avait rêvé. Il n'était jamais allé sur Mars, aussi qu'aurait-il bien pu faire là-bas, sans même se demander pourquoi et par quel moyen il s'y était rendu ? Il s'était matérialisé spontanément sur le sol désertique de la planète au ciel rouge, avait rencontré une femme, gagné les abords d'une montagne pyramidale et avait fini par chuter dans une espèce de puits gigantesque. Tout cela n'avait aucun sens. Seuls les rêves vous offraient des aventures aussi extraordinaires.

Comme pour un film il se remémora les différentes séquences jusqu'à sa chute dans l'abîme. Comment cette lune si petite pouvait-elle dispenser une telle lueur ? Après tout, cela n'était pas impossible. Mais ce câble... pourquoi ne l'avait-il pas saisi pour stopper sa chute ? La ceinture sur laquelle était fixé le moulinet n'avait pas cédé. Il portait des gants, et entre une gravité qui réduisait de deux tiers son poids et la force qu'il se connaissait, il n'aurait pas eu la moindre difficulté à serrer le câble dans ses mains. Seule l'atmosphère de son rêve avait rendu cette chute inéluctable.

Un détail, toutefois, l'intriguait fort... « Doug ! » lui avait crié la femme. L'emploi de ce diminutif impliquait qu'elle le connaissait, alors que son nom à elle lui était inconnu. Elle ne l'avait pas appelé Mr Quaid, ni même Douglas, mais « Doug », et d'une voix emplie d'émotion. Et ce ton si vibrant d'émoi, l'émouvait lui-même d'étrange manière, alors qu'il était maintenant tout à fait réveillé. Il lui semblait, sans qu'il lui vînt l'ombre d'un indice, que cette femme comptait pour lui, comptait énormément. Elle...

Une nouvelle question se posa soudain : comment avait-il pu l'entendre dans l'air raréfié de Mars, à travers des casques aussi étanches ? Ils n'avaient ni elle ni lui prononcé un seul mot pendant tout le rêve. Son appel, son cri avait coïncidé avec la fin de son rêve, au moment où le puits dans lequel il chutait s'était rempli d'une vive lumière blanche. Il comprit alors avec un intense soulagement que cette lueur n'était ni celle du Paradis ni celle des forges de l'Enfer mais tout simplement la lumière du jour... sur la Terre !

Il n'empêche, le souvenir de cette voix le hantait. Cette femme...

Il y avait quelqu'un près de lui. Quaid cligna les yeux.

Une superbe créature se penchait au-dessus de lui. Elle portait un déshabillé qui mettait en valeur les proportions parfaites de son corps. Ce n'était pas la femme de son rêve mais une amazone à la blondeur éclatante. C'était Lori, son épouse. Comment avait-il pu oublier ?

— Tu rêvais, souffla-t-elle d'une voix douce en se penchant un peu plus pour essuyer la sueur qui perlait à son front.

Il ne répondit pas, distrait par la vue de ces deux seins lourds dans l'entrebâillement du déshabillé. Une vision à laquelle il était accoutumé mais dont il ne se lassait jamais.

— Encore ce rêve sur Mars ? demanda-t-elle en continuant de lui éponger le visage.

Il se contenta d'acquiescer de la tête, encore troublé par le souvenir de cette femme dont la chevelure sombre avait miroité à la lueur d'une lune martienne. Qu'avait-elle donc, hormis la couleur des cheveux, que Lori n'avait pas ? Par ailleurs, ce n'était pas tout à fait une combinaison spatiale que Lori portait...

Il pensa brusquement que le fait d'avoir perçu la voix de cette femme dans son rêve n'était pas aussi aberrant qu'il y paraissait. Les casques qui les coiffaient étaient munis d'un système radio, et ce devait être par ce système qu'il avait entendu son appel angoissé. Il en conclut que son rêve n'était pas si insensé.

Lori, se méprenant sur son air pensif, commença de le caresser. Sa main descendit le long de son cou, pressa le muscle de son épaule. Elle aimait la puissante musculature de Quaid, et sa sensualité se réveillait toujours à sentir cette masse souple, élastique rouler sous la peau.

— Mon pauvre bébé, murmura-t-elle en promenant sa main sur les pectoraux noueux. Tu fais toujours ces horribles cauchemars.

Elle pressa ses lèvres au creux de la nuque et de l'épaule, promena sa langue sur son torse, descendant lentement vers le ventre bosselé par de formidables abdominaux. Il savait qu'elle cherchait à lui faire oublier son rêve, et le moyen employé n'était pas désagréable. Il la laissa continuer, sans pouvoir chasser le souvenir de cette femme de Mars. Quel dommage que leurs combinaisons aient dressé comme un mur entre leurs corps.

— Est-ce qu'elle était là ? demanda Lori d'un ton vague.

Tiens, tiens, se dit-il. Lori lisait-elle dans ses pensées, à présent ? Il se sentit coupable de songer à cette autre femme, alors qu'il avait une épouse d'une beauté sublime. Mais l'intérêt de Lori pour la brune de son rêve était assez plaisant.

Il fit semblant de ne pas comprendre.

— Qui ça ?

— Tu le sais très bien. (Lori releva la tête.) Cette fille avec des gros seins...

Il sourit.

— Oh, elle, dit-il en pensant qu'en matière de seins Lori n'avait rien à envier à personne.

— Alors, elle était là ? insista-t-elle.

Il éclata de rire.

— Incroyable ! Tu serais jalouse d'un rêve ?

En vérité, la réaction de Lori le troublait dans la mesure où elle donnait comme une réalité à un personnage qui n'existait que dans les limbes de son inconscient.

Lori lui donna un coup de poing dans le ventre et s'écarta de lui. Il essaya de la retenir, mais elle se débattit pour sortir du lit. Il y avait parfois de la brutalité dans leurs relations physiques, une brutalité ludique, contrôlée. Jamais il ne l'avait frappée.

— Ce n'est pas drôle, Doug, dit-elle, à moitié hors du lit. Lâche-moi. Tu es sur Mars toutes les nuits, maintenant.

— Mais j'en reviens tous les matins, protesta-t-il faiblement.

Lori disait vrai : le rêve se répétait, et la passion secrète qu'il éprouvait à l'égard de cette femme de Mars pouvait compromettre l'harmonie de leur couple.

Il parvint à ramener Lori sur le lit, ce que manifestement elle souhaitait qu'il fît. Ils luttèrent un instant, et elle parvint à lui prendre la taille entre ses jambes dans un ciseau qui ne manquait pas de saveur. Il lui immobilisa les bras et essaya de l'embrasser. Elle écarta la tête d'un côté et d'autre, évitant ses lèvres.

Le jeu prenait une tournure qui lui déplaisait.

— Allons, Lori, ne sois pas comme ça, marmonna-t-il. C'est toi, la femme de mes rêves !

Lori cessa brusquement de se débattre. L'étreinte de ses jambes se relâcha. Elle plongea son regard dans le sien.

— C'est vrai ?

— Tu en doutes ?

A présent il était sincère et tout à elle. Leur lutte avait complété ce que ses caresses avaient commencé, et maintenant il la désirait violemment.

Comme elle l'étreignait encore entre ses jambes,

elle ne pouvait ignorer ce désir. Elle le prit en elle, pressa ses lèvres contre les siennes.

— Tu te prends vraiment pour un taureau... lui souffla-t-elle à l'oreille d'une voix haletante.

— Peut-être, dit-il en riant. Et tu sais ce que le taureau fait à la vache ?

— Une vache ! se récria-t-elle avec une feinte indignation. Tu as déjà vu une vache faire ça ? Elle se redressa pour se mettre à califourchon sur lui en prenant soin de le garder en elle. Elle se débarrassa de son déshabillé. Elle avait un corps somptueux, et elle le savait. Elle se mit à onduler du bassin dans un mouvement savant.

— Non, dit-il, le souffle court. Les vaches que je connais se contentent d'attendre le taureau.

Elle posa sur lui un regard brûlant.

— Et tu en connais beaucoup, de vaches ?

— Seulement une. Il la sentit se tendre. Et encore n'est-elle qu'un rêve.

Lori se relâcha de nouveau. Ce n'était pas pour lui déplaire qu'il traite de « vache » cette fameuse femme qui hantait son sommeil. Elle reprit son mouvement, tandis qu'il lui caressait les seins, en pressait les mamelons durcis.

Elle poussa un cri quand il la fit rouler sur le dos et pesa sur elle. Un long baiser accompagna le plaisir qui les emportait.

Pourtant, malgré le ravissement éprouvé, la femme de Mars ne quittait pas Quaid. C'était avec elle qu'il aurait aimé faire ce qu'il faisait en ce moment même avec Lori, dut-il s'avouer. Décidément, quelque chose ne tournait pas rond chez lui, pensa-t-il.

3

RÊVE

TOUTEFOIS, chaque chose a une fin. Lori se leva pour prendre une douche. Quaid la regarda s'éloigner en se demandant comment un type aussi ordinaire que lui avait réussi à mettre la main sur semblable créature.

Quaid s'attarda un moment dans le lit puis gagna à son tour la salle de bains. Lori sortit de la douche, le corps ruisselant d'eau. Lui aussi se sentait bien, physiquement tout au moins, car il gardait l'esprit troublé. Ce rêve l'avait impressionné d'étrange manière.

Il émergea à son tour de la cabine, se sécha rapidement et enfila sa tenue de travail. Il faisait un métier des plus modestes : ouvrier du bâtiment. Certes il était compétent dans son domaine mais il ne représentait pas pour une femme ce qu'on appelle un beau parti. Pourtant Lori l'avait épousé, et son ardeur amoureuse n'avait pas faibli au cours de ces quelques années passées ensemble. L'appétit charnel qu'il éprouvait toujours pour elle n'avait rien de remarquable : Lori était une bombe sexuelle, et quel homme se serait lassé d'une épouse dont la beauté n'avait d'égale que la sensualité ? Mais pourquoi était-elle attirée par lui ? D'accord, elle aimait les hommes forts, athlétiques, mais elle aurait pu en trouver possédant à la fois des muscles et de l'argent ou du pouvoir. Pourquoi avait-elle jeté son dévolu sur un simple ouvrier ? Et pourquoi, lui, le plus heureux des hommes, rêvait-il d'une femme qui ne lui était jamais apparue que dans ses rêves nocturnes? Il y avait là une perversité certaine, voire une folie pure.

Ce n'était pas la première fois qu'il se posait cette question. Ils provenaient l'un et l'autre de mondes si différents. Ouvrier, il était spécialisé dans la démolition des ouvrages vétustes. En vérité son outil était le marteau-piqueur, tout comme son père. Il n'avait jamais songé à ambitionner autre chose, et il était fier d'avoir suivi les traces de son paternel. Oh, il était un véritable artiste avec son marteau, travaillant deux fois plus vite que tous ses collègues, mais cela ne faisait pas de lui l'époux auquel une Lori avait droit.

Lori était la fille chérie d'un directeur d'agence publicitaire. Il ne risquait pas d'oublier le jour où ils s'étaient rencontrés, huit ans plus tôt. Il avait eu une rude journée de labeur à démolir un ancien bâtiment de verre et d'acier situé dans le quartier des affaires. C'était une zone que Quaid n'avait pas souvent l'occasion de fréquenter, et il avait trouvé plaisant le spectacle de ces hommes et ces femmes impeccablement vêtus, des derniers modèles de véhicules, sans parler de tous ces androïdes assignés au nettoyage des trottoirs et chaussées. Cela le changeait de son quartier pauvre aux maisons délabrées.

Et puis il l'avait aperçue. Elle se tenait sur le trottoir d'en face, dardant son regard sur lui. Malgré la distance qui les séparait, il n'avait pas manqué de remarquer la lueur admirative qui brillait dans ses yeux. Il avait l'habitude de surprendre les regards appréciateurs que posaient sur lui et son torse luisant de sueur de jolies élégantes, mais celui de Lori exprimait une audace inhabituelle. Observation qui se confirma l'instant d'après, quand elle traversa la rue pour l'aborder.

A sa grande stupeur, il se retrouva marié trois mois plus tard. Il avait tenu au début à ce qu'ils se contentent de ce qu'il gagnait pour vivre, mais Lori l'avait peu à peu convaincu d'accepter l'argent qu'elle possédait et de quitter leur petit deux-pièces pour un vaste et luxueux appartement dans un quartier résidentiel. A la différence de Lori qui appartenait à un milieu riche, ce changement l'avait troublé. Ses collègues du chantier le charriaient volontiers à ce sujet, et lui, simple ouvrier du bâtiment, se sentait mal à l'aise parmi ces gens de la haute.

Toutefois, il n'avait pas lieu de se plaindre. L'appartement était un enchantement. Quand il s'allongeait sur son lit, il pouvait contempler l'écran holographique au plafond qui projetait les scènes érotiques qu'ils avaient eux-mêmes conçues, et qui ajoutaient un certain piment lors de leurs étreintes. Il aimait également s'abandonner dans la salle d'immersion après une dure journée de travail et laisser les différents jets d'eau et remous effacer la fatigue de son corps. L'environnement social de sa nouvelle vie le gênait encore mais tout ce confort matériel ne lui déplaisait pas.

Et puis, il avait Lori, ardente amoureuse. Il pensa à leur dernière étreinte et soudain le rêve de la nuit revint, bouleversant sa tranquillité. Il secoua la tête avec dépit.

Ce rêve était d'une telle force. Aussi insensé fût-il, il ne parvenait pas à le chasser de son esprit. Une fois de plus, il se traita de pervers.

Il gagna la cuisine. Le programmateur de repas était déjà branché, composant le menu de la semaine. Il s'empara du mixer, le remplit de fruits frais, de germe de blé, de vitamines, protéines, et une demi-douzaine d'œufs crus. Il enfonça la touche de l'appareil et contempla d'un air amusé le broyeur transformer tout cela en un liquide mousseux, énergétique. Puisque Lori m'aime pour mon corps, pensa-t-il avec un certain cynisme, eh bien, je ferai de mon mieux pour rester en forme. Il se promit également de chasser une bonne fois pour toutes ce fichu rêve et ses effets pernicieux.

Lori avait pris sa douche la première, mais elle prenait son temps pour s'habiller. L'opération était beaucoup plus simple pour Quaid : son pantalon de travail de la veille, une chemise propre, ses bottes de protection. Lori, elle, était plus soucieuse de son apparence. Son élégance discrète était le fruit d'une savante élaboration.

La télé diffusait les informations du matin, mais Quaid n'y prêtait guère d'attention. Tout en sirotant son breuvage, il contemplait sur la baie vitrée l'intense circulation des différents couloirs aériens. Dans quelques instants il serait parmi la foule de tous ces gens se hâtant vers leurs lieux de travail. Comme d'habitude. Il aurait mené une vie bien monotone s'il n'y avait eu Lori, bien qu'en vérité, la présence à ses côtés de la jeune femme ne changeât rien au fond du problème : il n'était jamais qu'un humble travailleur manuel, qui avait eu un peu plus de chance qu'un autre.

Le présentateur poursuivait sa litanie d'informations. « Sur le front, les satellites de l'Alliance du Nord ont incendié un chantier naval à Bombay, et l'incendie s'est propagé à travers la ville. Les pertes civiles dépasseraient dix mille morts et des centaines de milliers de blessés. Le président des pays du Nord a justifié cette attaque par des armes basées dans l'espace comme étant le seul moyen de défense contre la supériorité numérique du Bloc Sudiste. » Des images du carnage apparurent à l'écran. Les chaînes télévisées avaient décidément le goût des spectacles sanglants. Quaid continua de regarder par la fenêtre. Il imagina la foule de voyageurs qui passait dans le ciel faire l'objet d'une attaque comme celle de Bombay. Brûlés ou suffoqués par les gaz de combat, ils tomberaient les uns après les autres, bloquant les voies piétonnes, tandis que les véhicules hors de contrôle chuteraient dans le brasier faisant rage au sol. Après tout, cette ville n'était pas plus à l'abri qu'une autre d'un raid spatial.

« Les astronomes viennent de découvrir l'existence de six novae qui semblent avoir échappé jusqu'ici à leurs observations », poursuivit avec un sourire indulgent le présentateur. Tout le monde savait combien les scientifiques se montraient parfois comiquement incompétents. « Il semblerait que ces astres ne présentent pas les caractéristiques habituelles. Certaines étoiles deviennent des novae, d'autres des supernovae, et leurs genèse est parfaitement connue. Mais de récentes explorations de la galaxie ont révélé la présence de six nouvelles novae, un phénomène qu'aucun astronome n'avait prévu. » L'homme-tronc eut un nouveau sourire, comme s'il partageait une bonne blague avec les téléspectateurs.

Quaid se dit que les scientifiques trouveraient tôt ou tard une explication. Les étoiles ne se transformaient pas en novae sans un processus bien particulier.

« De nouveaux attentats la nuit dernière sur Mars, où... »

Quaid tressaillit et tourna la tête vers le damier d'écrans qui tapissait tout un mur de la salle-à-manger-cuisine de l'appartement. Chaque téléviseur diffusait une émission particulière, mais en habitué de ces programmes simultanés, Quaid porta son attention aux images prises sur Mars.

« Une charge explosive a détruit la géode de la Mine de la Pyramide, interrompant l'extraction du minerai de turbinium, indispensable à la fabrication des armes à particules de l'Alliance du Nord. »

Des soldats protégés de masques à oxygène et visiblement prêts à désintégrer le premier qui manifesterait la moindre résistance, rassemblaient sans ménagement les mineurs. Quaid s'aperçut qu'il serrait le poing en actionnant son index, comme s'il appuyait sur la détente d'une arme, réflexe déconcertant chez quelqu'un qui n'avait jamais touché à un fusil de sa vie.

« Le Front de Libération de Mars a revendiqué l'attentat, poursuivit le commentateur, et réclamé l'indépendance totale de la planète et sa libération de, je cite, « la tyrannie du Nord ». Il a également annoncé qu'il y aurait d'autres... »

Soudain apparurent sur le damier d'écrans l'image d'un sous-bois ravissant. Une véritable beauté sylvestre, mais qui, en cet instant, n'était pas du goût de Quaid.

— Pas étonnant que tu fasses des cauchemars, dit Lori, qui venait de s'emparer de la télécommande.

Vêtue d'un élégant tailleur gris, elle était prête à sortir pour faire des courses. Ce n'est pas en te gavant de ce genre de nouvelles que tu régleras ton problème, ajouta-t-elle.

Elle s'installa à table pour prendre son petit déjeuner, et Quaid vint prendre place à côté d'elle.

— Tu sais, Lori, j'ai bien réfléchi, dit-il. Qu'est-ce qu'on attend pour le faire ?

— Encore ? Après notre séance de tout à l'heure, je pensais que tu pourrais attendre jusqu'à ce soir.

— Très drôle, dit-il, agacé.

— Faire quoi, alors ? demanda-t-elle, s'apercevant qu'il n'était pas d'humeur à plaisanter.

— Nous installer sur Mars, répondit-il, redoutant sa réaction.

Lori pinça les lèvres, l'air exaspéré.

— Doug, tu veux bien ne pas gâcher une journée qui a bien commencé ?

— Je te demande seulement d'y réfléchir, protesta-t-il, désireux de la convaincre.

— Combien de fois faudra-t-il te le répéter ? répliqua-t-elle d'un ton brusque. Je n'ai aucune envie d'aller vivre sur Mars. Il n'existe pas de planète plus laide, plus lugubre.

Quaid jeta un coup d'œil aux écrans. Une biche s'abreuvait à un ruisseau courant parmi les fougères.

— Ils ont doublé la prime d'installation des nouveaux colons.

— Naturellement ! Quel est l'imbécile qui voudrait y aller ? La révolution risque d'éclater à tout moment.

Contrariée, elle repoussa sa tasse de thé. Quaid aussi était contrarié. Il aurait aimé qu'elle le comprenne, tout au moins qu'elle essaie. Hormis faire l'amour avec lui, rien d'autre ne semblait l'intéresser. Il maîtrisa sa colère, ramassa la télécommande qu'elle avait posée sur la table et remit les informations.

Il avait de la chance : il y était encore question de Mars.

« L'une des mines étant déjà fermée, commentait le

présentateur, Vilos Cohaagen, le gouverneur de Mars, envisage l'intervention de l'armée afin de maintenir la production de minerai. » La diffusion en direct d'une conférence de presse apparut à l'écran. Quaid reconnut le gouverneur de Mars. Cohaagen avait une stature aussi imposante que celle de Quaid. Il fallait un homme fort pour ce rôle, pensa Quaid. Nommé par l'Alliance du Nord pour veiller à l'exploitation minière de la colonie, le gouverneur avait tous les pouvoirs, et il ne se faisait pas scrupule d'en user.

« Mr Cohaagen, demanda l'un des journalistes, avez-vous l'intention de négocier avec le chef du Front de Libération, Mr Kuato ? Ses partisans représentent désormais une force qui... »

« Absurde ! l'interrompit brutalement Cohaagen. Un seul d'entre vous aurait-il jamais vu ce Kuato ? Quelqu'un posséderait-il une photo du personnage ? Hein ? » Il attendit, sûr de lui, sachant qu'aucun des reporters présents n'avait de réponse à sa question. « Je vais vous dire pourquoi personne ne l'a jamais vu : parce qu'il n'y a pas de Mr Kuato ! » Ses traits se durcirent. « Ecoutez, messieurs, la colonisation de Mars a coûté très cher à l'Alliance du Nord. Tout notre effort de guerre repose sur nos mines de turbinium. Nous n'avons pas l'intention de les abandonner pour la seule raison qu'une poignée de mutants se proclame propriétaire de droit de la planète. »

La scène sylvestre apparut de nouveau à l'écran. Lori avait repris la télécommande.

— Il a peut-être raison, dit-elle, mais Mars pourrait se désintégrer, ce ne serait pas une perte pour la galaxie.

Irrité, Quaid essaya de lui reprendre la télécommande, mais d'un bond elle s'écarta de la table en riant.

— Arrête, Lori ! cria-t-il. Rends-moi ça !

Elle s'immobilisa, pinça les lèvres.

— Embrasse-moi !

D'ordinaire il aimait ces jeux qui réclamaient toujours un contact physique avec un corps tentateur. Par ailleurs, il ne voulait pas entrer dans une querelle. Il se rendit à ses conditions et se leva pour la prendre dans ses bras.

Elle se frotta contre lui comme une chatte.

— Je sais que c'est difficile pour toi, dit-elle, cajoleuse. Mais tu devrais au contraire être heureux de vivre au-dessus de ta condition. Non ?

Quaid grimaça un sourire. Lori n'avait pas tort. Il jouissait d'une situation matérielle que beaucoup, sans parler de ses collègues de travail, auraient enviée. Mais pour le moment, tout ce qui l'intéressait, c'étaient les informations en provenance de Mars.

Lori inclina la tête pour l'embrasser. Elle tournait le dos aux écrans. Tout en répondant à son baiser, il lui prit les mains qu'elle tenait derrière elle, serrant la télécommande, et il remit les infos, qu'il put suivre d'un œil.

« Comme vous avez pu le remarquer, disait Cohaagen, nous ne sommes pas gâtés par l'atmosphère de Mars. Elle est proprement irrespirable, et il nous faut fabriquer notre propre atmosphère. Qui dit fabriquer dit coûter. Il est donc normal que chacun ici paye ce qui nous coûte si cher. »

Lori s'écarta de Quaid.

— Tu vas te mettre en retard, dit-elle, redoutant quelque part qu'un contact trop prolongé ne réveille en eux un irrésistible regain de passion.

Quaid la relâcha avec une réticence qui semblait confirmer la crainte secrète de Lori, alors qu'en vérité elle avait pour seul but de lui permettre d'écouter la fin du reportage sur Mars.

« C'est exact, dit un journaliste, mais vos taxes sont exorbitantes. Que reste-il à un mineur, une fois qu'il a payé son oxygène ? »

« C'est une planète libre, répondit sèchement Cohaagen. Vous pouvez toujours changer d'air, si le nôtre ne vous plaît pas. »

« Mr Cohaagen, intervint un autre reporter, la rumeur court que vous auriez fermé la mine de la Pyramide parce que vous y auriez découvert des vestiges d'extraterrestres ? Qu'en est-il exactement ? »

« Monsieur, répondit Cohaagen, contenant avec peine sa colère, j'aimerais beaucoup qu'une telle découverte ait eu lieu. Ces fameux vestiges nous vaudraient peut-être un afflux de touristes. » Il y eut quelques gloussements parmi les journalistes. « La vérité est qu'il s'agit seulement d'une rumeur que fait courir la propagande terroriste, dans le but de discréditer le gouvernement de Mars. » Le reportage sur Mars prit fin sur ces paroles.

Lori avait déjà commencé de pousser Quaid vers la porte.

— Passe une bonne journée, lui dit-elle.

Quaid lui sourit, l'embrassa une dernière fois et disparut dans le couloir.

Alors qu'il refermait la porte derrière lui, une vision étrange s'empara de lui. Dehors le ciel rougeoyait soudainement, les tours environnantes flambaient comme des allumettes, la Terre entière expirait, frappée par une nova ! Il allait mourir et, avec lui, toute l'espèce humaine !

Il cligna les yeux. Le monde retrouva son apparence normale. Il venait d'avoir une véritable hallucination, probablement induite par la nouvelle concernant la découverte de six nouvelles novae, un phénomène que les astronomes ne pouvaient pour le moment s'expliquer.

Il secoua la tête à la pensée que le cerveau humain était en fin de compte aussi mystérieux que pouvait l'être la galaxie et accéléra le pas en direction des ascenseurs.

4

TRAVAIL

QUAID se retrouva dans le flot de la circulation qu'il avait vu de sa fenêtre un moment plus tôt. Il détesta cela sans trop savoir pourquoi. Il n'y avait pourtant rien d'anormal dans le réseau de transports divers qu'empruntait chaque jour la population active. Peut-être ses rêves de Mars lui avaient-ils donné le goût des grands espaces désertiques, où la rencontre de ses semblables, surtout quand il s'agissait d'une beauté brune, revêtait une importance particulière. Ici ce n'était qu'une foule anonyme, grouillante. Et l'atmosphère était dangereusement polluée à ces niveaux inférieurs, quoi qu'en dise la propagande gouvernementale. Mars, au moins, était encore pure, et un homme pouvait étendre les bras sans heurter le nez de son voisin.

Il emprunta le long escalier mécanique qui, à cette heure, ressemblait à une cascade de têtes, d'épaules et de dos descendant vers la station de métro. Au bas de l'escalator, un violoneux infirme obligeait le flot des voyageurs à un léger méandre. Quaid sourit à sa vue : il y en avait au moins un à revendiquer un peu d'espace et d'attention au milieu du rush matinal. Il s'arrêta à sa hauteur pour glisser sa carte de crédit dans l'enregistreur portable du mendiant. Son aumône enregistrée, Quaid se mêla de nouveau au flot humain.

Il pénétra dans la zone de sécurité. Le flot des voyageurs se divisait en lignes pour passer les portiques de détection. Les actes de violence qui avaient gravement affecté le réseau des transports en commun avaient nécessité ces mesures. Il était désormais impossible de porter une arme sur soi, qu'elle fût de métal ou en plastique. Chacun n'était plus qu'un squelette projeté sur un écran de contrôle en franchissant le portique. Quaid vit s'engager une séduisante jeune femme, mais il eut beau scruter l'écran, pas une once de chair n'y apparut : seulement une gracieuse ossature.

Quand ce fut son tour, il eut la désagréable impression d'être déshabillé. Comme il ressortait du portique, il jeta un regard derrière lui et surprit le regard de convoitise dont le couvrait une jeune femme. Elle aussi avait essayé de le voir nu ! Il en éprouva une satisfaction narcissique, pour se la reprocher l'instant d'après. Qu'avait-il à faire de l'intérêt d'une étrangère ? Il avait épousé la femme la plus sexy de la ville, et ses rêves nocturnes étaient hantés d'une beauté brune. Pourtant, il ressentait en lui un désir d'aventure, de nouveauté, qui pût lui faire oublier la monotonie du labeur quotidien.

Il poursuivit sa route en direction du quai. Il y avait tant de monde qu'il manqua le train qui venait d'arriver, et il dut attendre le suivant trois bonnes minutes de plus que les trois minutes proclamées par la direction du réseau. Quelqu'un, quelque part, ne faisait pas son travail et, comme toujours, c'étaient les passagers qui en pâtissaient. S'il ratait ce train-là, il serait en retard à son travail et verrait sa paye réduite en proportion.

Il se fraya un chemin parmi la foule et se retrouva dans un wagon bondé, avec l'impression d'être une sardine en boîte. Quel contraste avec Mars !

Où que l'on portât son regard, on tombait sur un écran de vidéo, sur lequel défilaient des films publicitaires. Un véritable matraquage commercial auquel personne ne pouvait échapper. Quaid aurait aimé fermer les yeux, mais il redoutait dans ce cas de percevoir avec plus d'acuité encore les respirations laborieuses et les odeurs corporelles de ses voisins. Il se résigna à regarder l'écran le plus proche.

Un homme à l'air béat était vautré sur un grand lit en compagnie d'une beauté plantureuse. Par le dôme de verre qui coiffait la chambre où ils se trouvaient, on voyait évoluer de beaux poissons multicolores. Quaid pensa qu'on avait autre chose à faire que de contempler la faune marine quand on avait à ses côtés une aussi belle sirène.

« Rêvez-vous de vacances au fond de l'océan ? » demanda une voix de bonimenteur de foire, et le son était si fort que Quaid grimaça et essaya de s'écarter de l'écran. Mais les autres passagers formaient un bloc compact, et aucun d'entre eux n'avait envie d'être assourdi.

Une autre image apparut : celle d'un logement misérable, semblable à celui que Quaid avait occupé, avant qu'il épouse Lori. Le même bonhomme était assis, l'air désespéré cette fois, devant une pile de factures.

« ... mais vous n'en avez pas les moyens ? » reprit la voix off.

L'argument ramena Quaid à son problème : lui non plus n'avait pas les moyens de se rendre sur Mars. C'était bien la raison du refus de Lori. Il fallait de l'argent pour s'installer sur Mars. La prime accordée aux colons, aussi confortable fût-elle, n'était pas suffisante. Quaid n'ignorait pas qu'il fallait un apport personnel, si on ne voulait pas travailler comme mineur pour vivre. Il pensa qu'il avait toutefois plus de chance que le pauvre type de cette publicité. Au moins habitait-il un bel appartement.

Une nouvelle scène apparut : cette fois, une belle skieuse s'arrêtait dans une gerbe de poudreuse non loin d'une bande de pingouins. Elle avait un sourire radieux.

« Aimeriez-vous aller faire du ski dans l'Antarctique... »

Puis l'on vit la même femme dans un bureau, entourée d'une dizaine d'employés réclamant chacun son attention. Elle avait l'air harassée, dépassée par les questions qu'on lui posait, les décisions qu'on attendait d'elle.

« ... mais vous êtes ensevelie par une avalanche de travail ? »

Malgré lui, Quaid se prit à rêver à la terre d'Antarctique, vastes solitudes blanches qui lui rappelaient le désert rouge de Mars...

« Avez-vous jamais rêvé de randonnées montagneuses sur Mars... »

Quaid tressaillit. Il porta toute son attention à l'écran. Un sportif grimpait le flanc abrupt et déchiqueté d'une montagne de forme pyramidale, qui ressemblait étonnamment à celle de son rêve.

Puis l'alpiniste devint un vieillard montant péniblement un escalier.

« ... mais vous n'êtes plus en âge de gambader ? » La voix off s'incarna soudain, révélant le présentateur de la publicité, sanglé dans un costume trois-pièces, les manières avenantes.

« Alors venez nous voir à Souvenance, poursuivit-il, où vous pourrez vous offrir les souvenirs de vos plus belles vacances pour dix fois moins cher, dix fois plus sûr et dix fois meilleur que dans la réalité. » La scène changea de nouveau : on voyait un coucher de soleil au bord de la mer, et le présentateur était installé dans un étrange fauteuil qui flottait sur l'eau. « Ne laissez pas le bonheur vous glisser entre les doigts. Appelez Souvenance, où nous vous offrirons les plus beaux souvenirs de votre vie. » Quaid regarda, fasciné, l'image du présentateur s'estomper, tandis qu'un numéro de téléphone s'inscrivait sur l'écran.

Quaid était intrigué. Il y avait donc des vendeurs de rêves, de souvenirs ? Peut-être était-ce un moyen comme un autre de fuir la banalité quotidienne, se dit-il. Peut-être allait-il pouvoir se l'offrir, ce voyage sur Mars !

Il arriva à l'heure à son travail, et il fut rapidement à pied d'œuvre. A chaque fois que l'entreprise de démolition avait une tâche à mener vite et bien, il était le premier désigné. Jamais il ne rechignait à l'effort, faisant de son travail une véritable séance de musculation. Après tout, Lori aimait ça, les muscles, et la femme de ses rêves aussi, peut-être.

Il essaya de chasser cette dernière pensée pour concentrer toute son attention sur sa tâche : la démolition d'une de ces anciennes usines d'automobiles qui étaient encore nombreuses à la périphérie des villes. Cela faisait plus d'un demi-siècle que le niveau de la pollution avait dépassé le seuil critique, ainsi que tout le monde l'avait prédit, mais il avait fallu attendre que les gens tombent comme des mouches pour qu'on y remédie enfin.

On avait arrêté la fabrication des moteurs à essence pour adopter la propulsion nucléaire, malgré la pression des industries automobiles traditionnelles. La mesure était arrivée bien tard, mais « mieux vaut tard que jamais », comme dit le proverbe.

Les usines avaient suivi l'évolution, robotisant totalement les ateliers. Mais les vestiges du passé demeuraient, et il appartenait aux démolisseurs de les faire disparaître du paysage. Quaid travaillait en ce moment sur l'allée menant à l'une de ces usines abandonnées. Armé d'un marteau piqueur, il défonçait la chaussée, la réduisant en un tas de cailloux.

C'était un travail dur, pénible, mais qui lui permettait de chasser de son esprit toutes ces rêveries et ces désirs d'un autre monde. Et puis il éprouvait une espèce de satisfaction à abattre des murs ou à réduire une route en bouillie. Il avait l'impression de détruire les entraves matérielles qui le retenaient sur la Terre, alors qu'il aurait tant aimé partir sur une autre planète. Oui, il éprouvait le sentiment d'accomplir quelque chose.

Hélas, le rêve de la nuit continuait de le hanter. « Souvenance »... Trouverait-il chez ces fabricants de rêves la solution à son problème ?

— Hé, Harry ! cria-t-il par-dessus le vacarme du marteau. Harry approchait de la cinquantaine. C'était un type affable, avec un ventre de buveur de bière et un fort accent de Brooklyn. Ils faisaient équipe depuis deux ans, et Quaid avait de la sympathie pour lui. T'as entendu parler de cette boîte, Souvenance ?

— Souvenance ? répéta Harry.

Il secoua la tête. Non, il ne connaissait pas.

— Ils proposent à leurs clients des faux souvenirs de vacances, ce genre de truc, expliqua Quaid.

Harry se rappelait, maintenant.

— Ah, oui, dit-il, et il se mit à beugler le jingle de la société. Quoi, tu veux y aller ? (Il s'appuya à son outil, observant une pause.)

— J'en sais rien, répondit Quaid en essuyant la poussière sur ses manches. Peut-être.

— N'en fais rien, dit Harry avec conviction.

Le ton ferme de son collègue surprit Quaid.

— Pourquoi ? demanda-t-il.

Harry savait peut-être quelque chose que la publicité vue dans le métro se gardait bien de mentionner.

— J'ai un copain qui y est allé. Il voulait essayer un de leurs « programmes spéciaux ». Eh bien, il a manqué y laisser sa cervelle. C'était plus qu'un légume, à la sortie. Comme s'il avait subi une lobotomie.

Quaid frissonna.

— Merde alors..., marmonna-t-il en portant instinctivement la main à sa tempe.

Harry lui assena une claque dans le dos et reprit en main son marteau.

— Faut jamais s'amuser avec son cerveau, mec.

Les deux hommes se remirent au travail. Harry n'était pas homme à raconter des histoires. Quaid le savait, et il appréciait sa mise en garde.

Mais en quittant le travail, il s'arrêta à une cabine téléphonique, chercha le numéro de Souvenance dans l'annuaire. Il ne savait pas encore vraiment s'il irait chez ces faiseurs de rêves mais il voulait en savoir plus sur les services qu'ils offraient, et surtout sur leurs méthodes. Tout ça n'avait probablement pas de sens, mais c'était peut-être la seule façon d'en finir avec ces rêves qui lui empoisonnaient ses nuits et ses jours.

5

SOUVENANCE

QUAID s'arrêta devant le tableau informatique dans l'entrée de l'immeuble. Il enfonça la touche correspondant à la société Souvenance. Le numéro de l'étage, celui de la porte et un plan des lieux apparurent sur l'écran, mais il resta là sans bouger, hésitant.

Etait-ce la solution ? Harry l'avait mis en garde, mais Harry connaissait des nuits paisibles, alors que Mars hantait celles de Quaid. Mars devenait une obsession dont il devait se défaire. Il n'avait guère le choix. Soit il immigrait sur la planète rouge, ce qu'il ne pouvait matériellement pas se permettre, soit il essayait de trouver un compromis, dans la mesure où il doutait que cessent ces cauchemars à répétition. Peut-être ces fabricants de rêves lui fourniraient-ils ce compromis espéré ?

Il savait bien que ce n'était qu'une illusion, un faux-semblant, mais l'illusion pouvait avoir des effets probants, en tout cas sur le plan subjectif. Et, après tout, n'était-ce pas là l'essentiel ?

Il avait obtenu un rendez-vous par téléphone et ce serait tout simplement une lâcheté de sa part que de ne pas s'y rendre. Un dégonflé, lui ? Certes pas. Il se dirigea vers les ascenseurs, décidé cette fois à voir ce que lui proposeraient ces gens de Souvenance.

Il trouva la réceptionniste, une jolie blonde, occupée à se passer sur les ongles un vernis rouge sang. Le chemisier qu'elle portait sembla se volatiliser soudain, révélant de beaux seins bleuis au spray, mais un mouvement de son buste la recouvrit de nouveau, et Quaid comprit que c'était là l'effet de ces tissus devenant translucides selon l'angle de vue. Il savait que cela existait mais n'en avait jamais vu. Il en parlerait à Lori. Nul doute qu'elle s'empresserait d'en acheter un.

La jeune femme posa son flacon de vernis et lui adressa un sourire.

— Bonjour. Bienvenue à Souvenance, dit-elle d'une voix chaude.

Quaid, repris par le doute, se demanda ce qu'il faisait là.

— Douglas Quaid, dit-il. J'ai pris rendez-vous il y a une heure.

La secrétaire vérifia une liste, décrocha un interphone et, tout en jetant un regard appréciateur sur la silhouette massive de Quaid, elle annonça son arrivée.

— Mr McClanc vous reçoit tout de suite, dit-elle à Quaid en raccrochant.

Moins d'une minute plus tard, un homme sortit du bureau attenant à la réception.

— Merci, Tiffany, dit-il avec un clin d'œil à la blonde, puis il gratifia Quaid d'un sourire accueillant et lui tendit la main.

— Bob McClane, heureux de vous rencontrer, Doug. Si vous voulez bien me suivre.

Quaid lui emboîta le pas.

McClane était un homme jovial. La cinquantaine passée, il portait un complet gris en peau de grenouille de Mars. Naturellement, les batraciens n'étaient pas originaires de Mars : il n'y avait pas de vie animale sur la planète rouge. Mais importées de la Terre et élevées dans des conditions spéciales, les grenouilles avaient développé certaines caractéristiques dues à la faible gravité, et leurs peaux faisaient à présent l'objet d'une exploitation fructueuse.

McClane introduisit Quaid dans un bureau au mobilier de style futuriste.

— Prenez un siège, Doug, et mettez-vous à l'aise.

Quaid s'installa dans un fauteuil qui se modela instantanément au poids et à la conformation anatomique de Quaid. De cela aussi, il parlerait à Lori. Ces gens-là savaient vivre avec leur temps.

McClane prit place derrière son grand bureau de faux noyer.

— Alors, quels sont les souvenirs que vous aimeriez avoir ? demanda-t-il.

— Mars, répondit, laconique, Quaid, comprenant qu'il venait de franchir la frontière séparant le doute de l'engagement.

Mais la réaction de son vis-à-vis le surprit.

— Mars ? Pourquoi pas, dit McClane, manifestement sans enthousiasme.

— Vous avez quelque chose contre Mars ?

McClane eut un froncement de sourcils.

— Non, dit-il, mais si c'est l'espace, votre truc, alors je vous conseillerais plutôt nos croisières sur Saturne. Tous nos clients en reviennent enchantés, et le prix est sensiblement le même.

Quaid avait un instant oublié que McClane était avant tout un commerçant et que, comme tel, il chercherait à lui fourguer sa marchandise la plus chère.

— Saturne ne m'intéresse pas, dit-il. C'est Mars que je veux.

McClane leva les mains d'un air conciliant ; le client était roi.

— Eh bien, entendu pour Mars. Accordez-moi une minute, le temps de... (Il pianota sur un ordinateur, et une série de chiffres apparut sur l'écran.) Notre prix de base est de huit cent quatre-vingt-quatorze dollars pour deux semaines de souvenirs. Une durée plus longue vous coûtera davantage, car cela nécessitera une implantation plus profonde.

Décidément, ce McClane ne perdait jamais le nord.

— Deux semaines me suffiront, dit Quaid. (Il aurait aimé un voyage réel, au lieu de ce succédané, mais même ce dernier représentait déjà une dépense excessive.) Qu'est-ce que vous offrez pour ces deux semaines ? demanda-t-il.

— D'abord, Doug, sachez qu'à Souvenance, on ne voyage qu'en première classe. Cabine privée dans une navette de la compagnie Galaxie. Hébergement en hôtel de luxe et visite des sites les plus grandioses : le mont Olympus, les canaux, Vénusville... Ah ! Vénusville, vous vous en souviendrez, croyez-moi.

— Mais quelles impressions a-t-on ?

Quaid avait entendu parler de Vénusville, l'un des eros-centers les plus fameux de tout le système solaire. Ce n'était certainement pas là-dedans qu'il retrouverait la brune de ses rêves.

— Mais vous aurez l'impression de vivre tout cela exactement comme dans la réalité.

Quaid ne se donna pas la peine de dissimuler son scepticisme.

— Ouais, admettons.

— Je vous le garantis, Doug, votre cerveau ne connaîtra pas la différence. Si ce n'est pas le cas, nous vous rembourserons. Il vous restera même des souvenirs matériels : cartes postales, photos que vous aurez prises vous-même. Vous irez même jusqu'à vous demander si vous n'avez pas fait réellement le voyage. Je vous assure que...

— Et ce type qui en est revenu pratiquement lobotomisé ? l'interrompit Quaid. Vous l'avez remboursé ?

McClane maîtrisa parfaitement sa surprise.

— Oh, c'est une vieille histoire, ça, Doug. Aujourd'hui la sécurité est absolue. Il suffit pour s'en convaincre de consulter les statistiques.

Il pianota de nouveau sur la console de l'ordinateur, et une autre série de chiffres et de noms défila sur l'écran, mais il était évident que cela n'avait d'autre effet que d'impressionner le gogo.

— Alors, qu'en dites-vous ? demanda McClane, retrouvant tout son aplomb.

— Je ne sais pas, dit Quaid. Se faire implanter des

souvenirs dans le cerveau n'a tout de même rien à voir avec la mémoire qu'on garde d'un véritable voyage.

McClane se pencha par-dessus son bureau.

— Doug, soyons honnêtes, voulez-vous ?

Quaid refréna son envie de lui demander s'il avait donc menti jusqu'ici.

— Vous êtes ouvrier du bâtiment, exact ? demanda McClane.

— Et après ?

— Comment espérez-vous aller sur Mars ? En vous enrôlant comme mineur ? (McClane eut une grimace de dégoût à cette idée.) Alors, ouvrez les yeux, mon ami. Votre seule chance, c'est Souvenance. A moins que vous ne préfériez rester chez vous et regarder la télé.

L'argument manquait d'élégance, mais il portait. Quaid ne pouvait le contredire sur ce point.

Avant que son client ne se décourage, McClane se leva de son siège et, se penchant en avant, il lui donna une tape sur l'épaule.

— Et puis, pensez à tous les inconvénients d'un voyage réel : perte de bagages, mauvais temps, hôtels douteux. Avec Souvenance, vous ne risquez rien de tout cela ; tout sera parfait.

McClane marquait un nouveau point. Quaid connaissait les désagréments des voyages, même s'il n'avait jamais été bien loin.

— D'accord, dit-il. J'ai toujours voulu aller sur Mars, et je n'ai malheureusement pas les moyens de faire le voyage autrement qu'en faisant semblant. Alors je me contenterai de cet ersatz.

— Ce n'est pas comme ça qu'il faut voir les choses, Doug, dit McClane en secouant la tête d'un air de reproche. Ce n'est pas un ersatz. Bien au contraire. Pensez à ce que la mémoire d'un véritable voyage a de faillible. Notre attention est parfois flottante, l'oubli est là qui nous guette. Croyez-moi, ce que nous offrons vaut mieux qu'une expérience concrète.

L'argument était convaincant. Après tout, que lui resterait-il d'un véritable voyage ? Des souvenirs, certes, et un compte en banque à zéro. Ce que proposait Souvenance était finalement plus sûr, et beaucoup moins coûteux. Il lui restait cependant un doute.

— Mais en sachant que je suis venu ici, votre croisière restera toujours ce qu'elle est : imaginaire.

— Doug, vous ne vous souviendrez pas de m'avoir rencontré, vous ne vous souviendrez même pas que nous existons. Cela fait partie de nos prestations. Vous serez seulement persuadé d'avoir fait un beau voyage.

McClane avait gagné.

— Je prends le séjour de deux semaines, dit Doug.

— Vous ne le regretterez pas, l'assura avec chaleur McClane. Il enfonça une touche sur son ordinateur, et un petit écran vidéo placé devant Quaid s'alluma. Maintenant, vous allez remplir notre questionnaire, pendant que je vous familiariserai avec nos options.

Quaid commença à taper sur la console incorporée sur le bras de son fauteuil, choisissant parmi les articles défilant sur son écran : ses préférences en matière de vêtements, de cuisine, de femmes.

— Je ne veux pas d'options, dit-il, agacé par le mercantilisme de McClane.

— Je vous demande seulement de m'écouter, Doug, dit McClane. Quand il vous est arrivé de voyager, c'était vous-même, Douglas Quaid, ouvrier du bâtiment, n'est-ce pas ?

Quaid leva vers lui un visage perplexe.

— Je ne comprends pas.

— Doug, ce que je vous propose, c'est non seulement de faire une belle croisière sur Mars mais de la faire en étant un autre homme, en changeant de personnalité. Nous appelons ça le Voyage Hors de Soi.

— Ça ne m'intéresse pas, dit Doug, décontenancé par cette invitation à la schizophrénie.

Mais McClane n'était pas homme à abandonner facilement.

— Allons, je suis certain que cela vous intéressera. Nous offrons un choix d'identités qui ne vous déplaira pas. Regardez.

Sur l'écran apparut une liste :
A 14 UN PLAY-BOY MILLIONNAIRE
A 15 UNE VEDETTE DU SPORT
A 16 UN MAGNAT DE LA FINANCE
A 17 UN AGENT SECRET

— Alors, Doug, pourquoi seriez-vous un simple touriste sur Mars, alors que vous pourriez être un riche play-boy, un athlète, un...

— Agent secret, ça me coûterait combien ? demanda malgré lui Quaid.

— Doug, ça va vous plaire. Imaginez que c'est comme au cinéma, et vous êtes un nouveau James Bond. Vous courez des dangers, opérez dans l'ombre, c'est la mission la plus importante de votre vie... Mais je ne vais pas vous raconter tout le film. Sachez seulement qu'à la fin, vous aurez vaincu les méchants, sauvé la planète et que la femme que vous avez toujours aimée sera enfin à vous. (McClane eut un sourire radieux.) Et maintenant, dites-moi si trois cents dollars de plus ne valent pas le coup d'avoir vécu tout cela. Et je dis, d'avoir vécu, Doug.

Quaid ne put s'empêcher de sourire à son tour. Pas de doute, McClane savait vendre du rêve.

6

41A

Il y eut quelques autres détails auxquels Quaid prêta aussi peu d'attention qu'aux publicités télévisées. Enfin il s'avéra qu'une fois la décision prise, le voyage pouvait être entrepris sur-le-champ, puisqu'il s'agissait d'une procédure purement mentale. Cela ne lui prendrait pas plus de deux heures pour être, si l'on pouvait dire, de retour de Mars. Ses employeurs ne risquaient pas de lui reprocher une quelconque absence, car il reprendrait normalement son travail le lendemain. Lui-même ne parlerait à aucun de ses collègues de son voyage, pour ne pas faire de jaloux, et d'ailleurs le souvenir de ce voyage coïnciderait avec les vacances qu'il avait déjà prises. Il n'aurait donc en outre aucun sentiment d'anomalie. Quant à sa femme, elle serait tellement soulagée de la disparition de ses cauchemars nocturnes qu'elle se garderait bien d'aborder le sujet de Mars, de crainte de raviver le mal. Et, comme promis, s'il se souvenait d'avoir fait appel à Souvenance, son voyage lui serait remboursé. C'était, là, la meilleure garantie que McClane pouvait lui offrir.

Il ne restait plus qu'à passer à l'acte. McClane guida Quaid dans une pièce située à l'arrière du local et au centre de laquelle trônait un fauteuil comparable à celui d'un dentiste. Il y avait là une infirmière qui, avant de l'inviter à prendre place dans le fauteuil, lui fit enfiler une blouse verte.

— Ne vous inquiétez pas, Mr Quaid, lui dit-elle, après que McClane les eut laissés. C'est seulement pour protéger vos vêtements de toute tache de sang, car je dois vous faire une perfusion.

— Une perfusion ? demanda-t-il, surpris.

— Oui, il s'agit d'un produit calmant. L'implantation des souvenirs exige que votre esprit soit au repos. Cela ne fonctionnerait pas si vous étiez conscient.

Elle lui adressa un sourire qui se voulait rassurant. Elle n'était pas aussi jolie que la secrétaire à la réception, mais elle était sympathique et chaleureuse.

— D'accord, faites ce que vous avez à faire, dit-il en s'installant dans le fauteuil.

La femme veilla à ce qu'il soit confortablement assis, plaça ses bras sur les accoudoirs et ajusta le repose-tête. Puis elle releva la manche gauche de sa chemise et lui frotta la saignée du coude à l'alcool.

— Quelle force vous devez avoir, Mr Quaid, dit-elle, impressionnée par la musculature noueuse de son bras.

— J'ai de l'entraînement, dit-il. Je suis ouvrier du bâtiment, un professionnel du marteau-piqueur.

— Oh ! ça explique ces avant-bras. Le marteau ne doit pas peser lourd dans vos mains.

Il savait qu'elle cherchait à le distraire pendant qu'elle procédait à ses préparatifs, mais cela ne lui déplaisait pas. Il s'imagina au lit avec elle. Le fauteuil était très confortable, et elle avait des mains douces. Il sentit à peine l'aiguille quand elle le piqua. Le produit commença de pénétrer goutte à goutte dans sa veine, et un bien-être croissant l'envahit. Il ne s'aperçut même pas du départ de l'infirmière. Il avait l'impression de flotter, parfaitement détendu.

Un homme jeune fit son entrée dans la pièce. Il était très mince, brun, et du genre nerveux. Ses yeux gris avaient une expression furtive.

— Je vous salue, Mr Quaid, dit-il. Je m'appelle Ernie. Je serai votre assistant technique. Le Dr Lull arrive tout de suite. Comment vous sentez-vous ?

— Très bien, parvint à articuler Quaid.

— Je vais vous mettre le « casque spatial », dit Ernie avec un gloussement en décrochant une espèce de casque métallique d'un crochet fixé au fauteuil, et il en coiffa avec précaution le crâne de Quaid. C'est votre premier voyage ? demanda-t-il.

— Oui, dit Quaid, qui se rappelait avoir porté un casque dans son rêve. Celui qu'il avait à présent sur la tête n'était qu'un enregistreur d'ondes cérébrales, un bel instrument qui devait coûter une petite fortune.

Ernie ajusta la sangle du casque sur le front de Quaid.

— Vous inquiétez pas, Mr Quaid. Ici, tout marche comme sur des roulettes.

Quaid ignora le babillage du garçon. Il lui tardait de se retrouver sur Mars.

La porte s'ouvrit, et la femme qui entra n'avait jamais participé à un concours de beauté. La quarantaine, le cheveu aussi rouge que son rouge à lèvres, un petit corps tout en os qu'elle dissimulait sous un ample tailleur qui devait avoir plus de tenue sur son cintre.

— Bonsoir, Mr... (Elle consulta sa fiche...) Mr Quaid. Je suis le Dr Lull.

Elle avait un accent suédois et feignait une jovialité qui n'était supportable que sous une forte dose de sédatif.

— Enchanté, dit-il.

Les présentations faites, le Dr Lull enfila une blouse blanche et elle examina de nouveau la fiche de Quaid.

— Ernie, sortez-moi le programme 62b, le 37, et le... (Elle tourna la tête vers Quaid.) Aimeriez-vous intégrer dans votre voyage un élément extraterrestre ?

— Un monstre à deux têtes ? demanda-t-il, perplexe.

Elle eut un rire presque naturel.

— Je crains que nous n'ayons pas ça en magasin, dit-elle. Mais vous pourriez voir, par exemple, certains des vestiges extraterrestres découverts sur Mars.

— Oui, ça m'intéresserait, répondit Quaid, curieux d'en savoir le plus possible sur la planète Mars, qu'avaient explorée bien avant l'homme d'autres êtres venus de l'espace.

— Et voilà, dit Ernie en tendant au Dr Lull les disquettes correspondant aux souvenirs qu'ils s'apprêtaient à implanter dans la mémoire de Quaid.

Tandis qu'Ernie s'affairait de son côté, le Dr Lull sangla Quaid au fauteuil. Bras, jambes, torse, il se retrouva immobilisé, et il fut pris d'une légère inquiétude. Redoutaient-ils qu'il soit pris de convulsions ?

— Marié depuis longtemps, Mr Quaid ? demanda le Dr Lull avec un intérêt qui n'était pas feint.

— Huit ans.

Sa réponse le surprit vaguement. Lori avait si peu changé en huit ans. Elle semblait avoir toujours vingt-cinq ans. Elle n'avait pas pris une ride depuis leur mariage. Il semblait que le temps n'eût aucun effet sur elle.

— Tenté par une petite aventure martienne ? demanda le Dr Lull d'un ton gourmand.

— Pas vraiment, répondit-il, contrarié à l'idée que le Dr Lull lui prête des intentions libidineuses.

Une lueur de déception passa dans le regard du Dr Lull.

— Eh bien, dans ce cas, nous pouvons commencer, dit-elle en appuyant sur une pédale. Le dossier du fauteuil s'inclina en arrière jusqu'à ce que Quaid soit presque à l'horizontale. Prêt pour le pays des rêves ?

Quaid hocha la tête, et le Dr Lull ouvrit en grand la valve de la perfusion. Le goutte à goutte s'accéléra.

— Je dois vous poser quelques questions, Mr Quaid, reprit le Dr Lull, afin que nous puissions ajuster à la perfection le programme. Je vous demanderai de me répondre avec la plus totale sincérité.

Compte là-dessus, pensa Quaid, bien décidé à garder pour lui ses pensées intimes.

Il commençait maintenant à ressentir pleinement les effets de l'anesthésique. Il ne flottait plus, il s'enfonçait. Il eut l'impression que ses défenses mentales tombaient les unes après les autres.

Le Dr Lull procéda à un bref examen de son rythme cardiaque, de sa respiration, et cela rassura

Quaid. Il avait envie de ressortir entier de ce fameux voyage.

— Votre appétence sexuelle ? demanda-t-elle soudain.

— Hétéro ! Il comprit qu'elle ne faisait que vérifier si ses réactions sous le puissant désinhibiteur que contenait la perfusion correspondaient aux éléments de sa fiche.

Elle acquiesça d'un signe de tête.

— Maintenant, regardez cet écran.

Il jeta un regard embrumé à une silhouette féminine qui se découpait sur un écran d'ordinateur qu'il n'avait pas encore remarqué.

— Comment préférez-vous les femmes ? demanda-t-elle. Blondes, brunes, rousses, noires, orientales ?

— Brunes.

Mais Lori était blonde. La brune, c'était la femme de Mars. Et il ne pouvait rien à cette inclination ressentie pour elle.

Il entendit Ernie pianoter sur les touches d'une console, et une femme brune apparut sur l'écran. Elle ne ressemblait pas tout à fait à celle de son rêve, et il s'en félicita. Sa Martienne continuait ainsi de garder tout son mystère. Elle restait unique, et c'était mieux ainsi.

— Vous les aimez minces, pulpeuses ? demanda le Dr Lull.

Il avait du mal à rester éveillé.

— Pulpeuses, dit-il d'une voix pâteuse.

— Provocantes, lascives, timides ? Soyez sincère.

Pourquoi le serait-il ?

— Provocantes... et timides. Laissons-les se débrouiller avec cette contradiction, pensa-t-il.

— 41A, Ernie.

Apparemment, il ne les avait pas ébranlés. S'il n'avait pas été aussi endormi, il aurait veillé à brouiller la piste. Mais jusqu'ici, il avait répondu avec sincérité, gardant imprégné en lui le souvenir de la femme de Mars.

Il eut vaguement conscience qu'Ernie glissait la

disquette 41A dans le monitor. L'image de synthèse qui venait d'apparaître à l'écran était cette fois d'une ressemblance frappante avec la compagne de ses rêves.

Etait-ce là le fruit d'un hasard de la programmation ? Ils ne pouvaient tout de même pas lire dans ses pensées !

— Il ne va pas être mécontent de son voyage, gloussa Ernie.

Ce furent les dernières paroles que perçut Quaid. Un voile noir l'enveloppa. Souvenance l'expédiait sur Mars.

7

PROBLÈME

McClane recevait une célibataire quadragénaire dont il espérait faire sa prochaine cliente. Les femmes de cet âge étaient souvent plus dépressives que les hommes et remplies de désirs refoulés. Nombre d'entre elles avaient les moyens, et les services de Souvenance leur convenaient parfaitement.

— Je vous promets, Mme Killdeer, que ce sera la plus belle expérience que vous ayez jamais eue.

— Mais je ne pourrai rapporter de ce voyage ces petits souvenirs qui...

— Faux, chère madame, l'interrompit McClane. Pour un supplément ridicule, vous aurez des cartes postales, des photos de vous-même dans les plus beaux sites que vous visiterez, et des lettres de tous ces hommes charmants que vous aurez rencontrés...

Le vidéophone sonna, lui arrachant une grimace de contrariété. Il leur avait pourtant dit et répété de ne jamais l'appeler quand il recevait des clients. Il enfonça une touche, et le Dr Lull apparut à l'écran.

— Bob ? (Sa voix était tendue.) Vous feriez bien de venir tout de suite.

McClane roula de grands yeux à l'adresse de Mme Killdeer, la prenant à témoin de son malheur.

— Ecoutez, je suis avec une cliente très importante, grommela-t-il.

— J'ai l'impression qu'on est tombés sur un nouveau cas de schizophrénie, l'informa le Dr Lull.

McClane blêmit. Il n'eut pas besoin de regarder deux fois en direction de Mme Killdeer. Elle avait très bien compris ce qui se passait ! Avec Quaid, cela faisait deux clients de perdus. Quelle tasse !

— Je reviens tout de suite, dit-il à Mme Killdeer en grimaçant un sourire qui se voulait rassurant.

Il sortit de son bureau et se hâta vers le cabinet du Dr Lull. Ces deux crétins, l'interrompre de cette façon, et devant une cliente ! Non, mais où avaient-ils la tête ? Si Renata Lull pensait qu'elle allait s'en tirer comme ça...

Le spectacle qu'il découvrit en entrant dans la pièce le laissa bouche bée.

Le client, Douglas Quaid, était devenu fou. Hurlant et vociférant, il tentait de briser les sangles qui l'immobilisaient sur le fauteuil. Ce type était bâti comme un Hercule, et McClane se reprocha de ne pas avoir remarqué plus tôt ce détail. Le flacon de perfusion valdinguait en haut de sa perche. Que s'était-il passé ? Une réaction imprévue au sédatif ?

Quaid n'était plus le même homme. Il semblait plus furieux que dément. Ses yeux étincelaient de colère mais sa voix restait froide, menaçante.

— Vous pouvez vous considérer comme morts ! cria-t-il. Vous avez fait sauter ma couverture !

Renata Lull et Ernie s'étaient réfugiés dans un coin de la pièce, effrayés et décontenancés par une réaction aussi violente. Mais McClane avait déjà connu ce genre d'incident. En vérité, les cas de ce type étaient assez fréquents. Chaque client réagissait différemment, et pour certains les voyages paradisiaques promis par Souvenance prenaient des tournures infernales.

— C'est quoi, ce bordel ? grogna McClane en se tournant vers ses deux assistants. Vous n'êtes donc pas foutus de faire une simple implantation ?

— Je n'y suis pour rien, protesta le Dr Lull. Nous sommes tombés sur une capsule mémorielle.

— Détachez-moi, bande de cons ! rugit Quaid. Ils seront là dans une minute, et nous y passerons tous !

— Mais de quoi parle-t-il ? aboya McClane.

— Mais vous ne comprenez donc rien ? hurla Quaid.

Comment ce type pouvait-il s'exprimer aussi clairement ? Avec cette rage froide ? D'ordinaire, tous ceux qui réagissaient mal à l'opération tenaient des propos incompréhensibles, bavaient comme des chiens enragés ou vous couvraient d'insultes et d'obscénités. Douglas Quaid, lui, tenait plutôt de la glace en fusion.

— Je vous en prie, Mr Quaid, gardez votre calme, demanda McClane.

Ils allaient procéder à une nouvelle perfusion, augmenter la dose de sédatif, et voir de quoi il retournait. Une capsule mémorielle ? Qui aurait cru cela ?

— Je ne suis pas Mr Quaid.

Dédoublement de personnalité ? C'était peut-être ça. Mais, dans ce cas, Lull aurait dû arriver au même diagnostic. McClane s'approcha de Quaid pour lui examiner les yeux.

— Vous avez seulement une réaction négative à l'implantation, dit-il sans conviction. (Il fallait avant tout calmer cette masse de muscles.) Mais donnez-nous quelques minutes et...

Quaid força de nouveau sur ses liens. Soudain la sangle immobilisant son bras droit céda avec un bruit sec, et une main de fer jaillit, agrippant McClane à la gorge.

— Détachez-moi, ordonna Quaid avec une tranquillité qui faisait froid dans le dos.

McClane suffoquait. Il tenta en vain de se dégager. Mais seul un coup de hache aurait eu raison de cette main qui l'enserrait dans un étau. Il allait s'évanouir sans pouvoir faire usage de la seule arme qu'il se connaissait : la parole.

Ernie sortit enfin de sa paralysie. Il se jeta sur le bras de Quaid, pesant dessus de tout son poids, sans plus d'effet que s'il s'était suspendu à la branche d'un chêne. Un voile noir commençait d'obscurcir la vision de McClane.

Le Dr Lull se hâta de préparer une grosse seringue de

narkidrine, et injecta toute la dose dans la cuisse de Quaid. Quelques secondes plus tard, la main de Quaid relâcha sa prise, son bras retomba, et il perdit conscience.

Comme McClane tombait à la renverse, Ernie parvint à amortir sa chute. Le Dr Lull se précipita auprès de lui.

— Ça va ? demanda-t-elle en posant une main sur son front.

McClane la repoussa, cherchant désespérément son souffle.

— Ecoutez-moi, lui dit le Dr Lull. Il n'a pas arrêté de parler de Mars. Il est vraiment allé là-bas !

McClane retrouvait lentement ses esprits mais il sentait encore la terrible pression de ces doigts sur sa gorge. Ce monstre avait bien failli le faire passer de vie à trépas.

— Faites marcher votre matière grise, espèce d'imbécile ! grogna-t-il. Je lui ai proposé notre Voyage Hors de Soi, et il a choisi le rôle d'agent secret. Vous auriez dû doubler les sangles et...

— Si vous vouliez bien me laisser le temps de vous expliquer, l'interrompit le Dr Lull. (Elle détestait se faire rabrouer de cette façon, et surtout par ce bonimenteur de McClane.)

— Ah ! parce que vous avez une explication ? persifla-t-il.

— Nous n'avons pas eu le temps de lui implanter son rôle d'agent secret.

McClane la regarda d'un air médusé. Il commençait à comprendre, et ce qu'il comprenait le terrifiait. Pas d'implantation de l'option « jeu de rôle », et ce type parlait de Mars avec familiarité ?

— C'est ce que j'essayais de vous dire, continua le Dr Lull. Il est déjà allé sur Mars, et quelqu'un a effacé la mémoire de ce qu'il était et accomplissait là-bas.

— Quelqu'un ? s'écria Ernie, hystérique. Vous voulez dire l'Agence !

— Taisez-vous ! siffla le Dr Lull en giflant son jeune assistant.

La claque les réduisit tous trois au silence.

McClane s'efforçait de réfléchir. A présent, il aurait tant aimé qu'il s'agisse d'un quelconque syndrome schizophrénique. Parce que Ernie, hélas, devait avoir raison : la capsule mémorielle avait été implantée par l'Agence. Personne d'autre que cette dernière n'avait les moyens techniques de le faire. Et tout le monde, à tous les échelons de la hiérarchie, depuis les hauts responsables jusqu'aux plus humbles des citoyens, savait que toute intrusion, accidentelle ou pas, dans les affaires de l'Agence avait des conséquences fatales.

L'Agence était un organisme de sécurité travaillant pour le gouvernement, mais elle avait ses propres lois et ses méthodes, le plus souvent expéditives. Ses agents étaient des hommes comme ce Quaid : des tueurs, des brutes qui ne s'embarrassaient jamais de considérations humaines ou morales. Le fait d'avoir réactivé la mémoire d'un de leurs agents mis en « sommeil » sous une autre identité grâce à une capsule mémorielle était une faute grave. Quaid disait vrai : ils pouvaient tous se considérer comme déjà morts. Pourquoi diable ce type était-il venu à Souvenance ?

McClane n'était pas un violent. Mais soudain sa vie était menacée. Ils pouvaient tuer Quaid en doublant ou triplant la dose de sédatif. Ils le pouvaient tout de suite. Mais était-ce une solution ? Que feraient-ils du corps ? Et puis il y avait toutes les chances que l'Agence ait greffé un émetteur sur Quaid, ce qui voulait dire que l'alerte serait donnée, dès l'instant où l'émission du signal vital de Quaid disparaîtrait des écrans capteurs de l'Agence. Alors, le droguer à mort, et le balancer quelque part ? Ils auraient vite fait de retrouver le corps, grâce à l'émetteur, et il ne leur faudrait pas longtemps pour remonter jusqu'à Souvenance.

Il entrevit soudain une issue. Inutile de le tuer ou de chercher à le cacher. Non, c'était à eux de se mettre à l'abri, de dissimuler Souvenance, de la cacher à Quaid et à l'Agence. Eloigner le bonhomme, effacer de sa mémoire le souvenir de sa visite ici, tout comme ils l'auraient fait, ainsi que le prévoyait le contrat. Il y avait toutefois une petite différence...

— Voilà ce que nous allons faire, dit-il. Renata, vous allez lui enlever tout souvenir qu'il pourrait garder de nous.

— Je ferai mon possible, dit-elle.

McClane se tourna vers Ernie.

— Ernie, vous le mettrez dans un taxi. Je vais demander à Tiffany de vous aider.

Ernie acquiesça d'un signe de tête. Il donnerait au chauffeur l'adresse de Quaid. Il serait difficile de remonter jusqu'au lieu de prise en charge, et si le Dr Lull faisait bien son travail, Quaid ni personne n'essayerait d'y parvenir. Manifestement, ce n'était pas l'Agence qui l'avait envoyé à Souvenance ; l'homme était venu de son propre gré, parce que, quelque part dans le conditionnement qu'il avait subi, il y avait eu une faille. Pas étonnant qu'il ait rêvé de Mars ! Sauf imprévu, ils avaient une chance de s'en sortir.

— Je vais détruire son dossier et replacer son argent sur son compte, dit McClane. Et si jamais quelqu'un venait nous questionner... nous n'avons jamais entendu parler de Douglas Quaid.

Ils tournèrent leurs regards vers le corps allongé sur le fauteuil, chacun espérant qu'il ne le reverrait jamais.

McClane regagna son bureau. Bien entendu, Mrs Killdeer était partie. Il s'en fichait pas mal en cet instant ; au contraire, il en était soulagé. Il avait un problème autrement urgent à résoudre : faire disparaître la fiche de Quaid et informer Tiffany, sa secrétaire. Elle lui était dévouée, et elle aiderait Ernie à fourrer Quaid dans un taxi. Quant au paiement, il pourrait peut-être l'annuler avant qu'il ne soit enregistré par l'ordinateur central. Pas de paiement, pas de remboursement. Ce serait parfait ainsi. Si tout marchait comme il le souhaitait de tout son cœur, la vie continuerait, si précieuse malgré ses hauts et ses bas. Sinon...

McClane pensa qu'il aurait du mal à trouver le sommeil pendant quelque temps.

8

HARRY

QUAID retrouva ses esprits sur le siège arrière d'une voiture. La pluie battait la vitre contre laquelle il appuyait la tête.

— Où suis-je ? demanda-t-il à la silhouette assise à l'avant.

— Vous êtes dans un Taxi-taxi ! lui répondit une voix d'un ton jovial.

Ce n'était pas tout à fait la réponse qu'il attendait.

— Je voulais dire, comment se fait-il que je sois dans un taxi ?

— Excusez-moi, mais pourriez-vous reposer la question ?

Quaid cligna les yeux, s'efforçant de maîtriser ses idées. Le chauffeur au volant n'était qu'un mannequin au visage éternellement souriant, le chef couvert d'une casquette blanche à visière noire. Quaid ne prenait jamais ce genre de taxi, que la présence de ces pantins était censée humaniser. Il préférait les voitures automatiques, qui répondaient à la voix et ne se trompaient jamais, à la différence de ces marionnettes imparfaitement sophistiquées.

— Comment suis-je monté dans ce taxi ? répéta-t-il, agacé.

— La portière s'est ouverte, et vous avez pris place à bord.

Il était inutile d'insister. Il ne se donna même pas la

peine de demander à quelle adresse ils se rendaient. Il le verrait bien en arrivant. D'ici là, ses idées se seraient peut-être clarifiées. Il se rappelait avoir quitté son travail, et puis... plus rien.

Le taxi s'arrêta bientôt devant l'entrée d'un immeuble qu'il connaissait : le sien. Il rentrait donc chez lui ! Mais pourquoi si tard ? Il faisait nuit. Plusieurs heures s'étaient écoulées depuis son départ du chantier.

La portière s'ouvrit, et le mannequin tourna la tête vers lui.

— Merci d'avoir fait appel à Taxi-taxi ! lança du même ton joyeux la bouche figée dans un sourire idiot. J'espère que vous êtes satisfait de nos services.

Quaid réprima une envie de boxer cette caricature de visage et s'extirpa lourdement du véhicule. Il pleuvait à verse, mais il ne s'en plaignit pas. Cette douche imprévue était revigorante. Comme il se dirigeait d'un pas incertain vers la porte de l'immeuble, une voix familière l'appela.

— Hé, Quaid !

Cet accent de Brooklyn... Harry, son collègue de travail. Quaid en fut étonné et content à la fois.

— Harry ! Qu'est-ce que tu fais ici ?

Harry lui donna une tape amicale dans le dos.

— Alors, c'était comment, cette petite excursion sur Mars ? lui demanda-t-il avec un grand sourire.

— Excursion ?

Quaid regarda Harry d'un air de profonde stupeur.

— T'as un trou de mémoire ? rétorqua Harry. T'es allé dans cette boîte, Souvenance.

— C'est vrai ?

Quaid était totalement décontenancé.

— C'est la pure vérité, mon pote, affirma Harry.

Quaid se souvenait d'avoir parlé de ça avec Harry dans la matinée. Harry lui avait dit qu'un copain à lui en était ressorti à moitié lobotomisé. Et il serait allé là-bas ? Non, ce n'était pas possible...

— Viens, je te paye un coup à boire, offrit Harry. Tu me raconteras.

Il voulut prendre Quaid par le bras, mais celui-ci recula. Il n'avait pas envie de boire. Tout ce qu'il voulait, c'était rentrer chez lui. Lori saurait s'occuper de lui. Il finirait bien par se rappeler ce qu'il avait fait durant ces dernières heures.

— Je te remercie, Harry, mais il est tard, dit-il.

— Discute pas, Quaid, gronda soudain Harry.

Ce n'était plus son sympathique coéquipier que Quaid avait devant lui, mais un inconnu aux traits durcis, à la voix glacée. Avant même qu'il mesure la réalité de la métamorphose, trois autres hommes surgirent de l'ombre et l'encadrèrent, le poussant vers l'entrée de l'immeuble.

— Hé ! cria Quaid. Il chercha à se dégager, et Harry lui enfonça le canon d'un pistolet dans les côtes.

— Du calme ! commanda Harry.

Quaid jugea prudent d'obéir, et les quatre hommes l'entraînèrent à l'intérieur, prenant l'escalier de secours qui menait au parking souterrain.

Quaid comprit que ses minutes étaient comptées. Il fallait qu'il retrouve tous ses esprits s'il voulait s'en sortir vivant. Il devrait agir vite, par surprise. La moindre erreur lui serait fatale. Pour le moment il feindrait d'être sous le coup de la stupeur et incapable de la moindre résistance.

— Mais qu'est-ce qui se passe, Harry ? demanda-t-il, vaguement plaintif. La mémoire lui revenait peu à peu. Oui, il était allé chez ces fabricants de souvenirs. Il avait choisi un voyage fictif sur Mars. Mais là s'arrêtaient ses réminiscences.

— Qui es-tu au juste, Harry ? Un flic ? demanda-t-il encore sans obtenir de réponse.

De toute évidence, l'intervention de ces hommes avait un rapport avec son passage à Souvenance.

— Harry, qu'est-ce que j'ai fait ?

Cette fois, il eut sa réponse.

— Tu as parlé, Quaid ! dit Harry avec colère. Tu as parlé de ce qu'il ne fallait pas !

— Mais parlé de quoi ?

Ils étaient arrivés dans le parking désert à cette heure, et les trois hommes de main le poussèrent contre un mur en lui immobilisant les bras dans le dos.

— T'aurais dû m'écouter, Quaid, dit Harry. J'étais là pour t'empêcher d'avoir des ennuis.

Quels ennuis ? Etait-ce sa faute s'il rêvait toutes les nuits de Mars, la seule raison qui l'avait poussé à entreprendre ces voyages mentaux que proposait Souvenance ? C'était absurde. De toute façon, il n'était plus temps de s'interroger. Il ne pouvait avoir de doute quant à l'issue que lui réservaient ces hommes. Harry n'était pas un simple collègue de travail que le hasard avait placé sur son chemin. Les trois autres, qui le maintenaient contre le mur, étaient à ses ordres. Ce qui signifiait qu'il devrait éliminer Harry en premier, quand le moment serait venu d'agir.

— Harry, tu commets une erreur, plaida-t-il. Tu me prends pour quelqu'un d'autre.

— Non, non, camarade, c'est toi qui t'es trompé, dit Harry.

Soudain des images de son rêve resurgirent, et il se demanda pour la première fois si ces visions nocturnes n'étaient pas en fait des souvenirs d'une réalité passée. Aurait-il vécu sur Mars avant cette existence terrestre, sa rencontre avec Lori ?

Il sortit soudain de ses interrogations en voyant Harry lever son arme et en pointer le canon contre sa tempe. Dans le regard de son ex-collègue, il vit passer une lueur de regret, tandis que l'index se resserrait lentement sur la détente. Il eut en même temps conscience que les trois autres s'écartaient un peu de lui sans pour autant le lâcher. C'était le moment d'abattre les cartes.

Harry avait commis l'erreur commune de tenir son pistolet trop près de sa cible. Avec une rapidité foudroyante le poing de Quaid jaillit, détournant l'arme qui fit feu vers le plafond.

Le poing de Quaid poursuivit sa course, frappant Harry à la gorge. La carotide littéralement broyée, Harry s'effondra, le souffle coupé à jamais. Durant la seconde de stupeur qui cloua les trois autres, Quaid pivota et frappa son adversaire le plus proche d'un crochet en plein cœur. Le coup qu'il appuya de tout le poids de son poing défonça les côtes, perfora le cœur. Touché à mort, l'homme vacillait encore que Quaid s'attaquait au suivant. Il lui saisit la tête entre ses mains et d'une brusque torsion lui brisa les vertèbres cervicales. Le dernier avait trois secondes pour réagir. Il avait dégainé son arme et s'apprêtait à presser la détente quand la jambe de Quaid partit en piston, et la semelle ferrée de sa botte lui aplatit le visage plus sûrement qu'une masse de forgeron. Projeté à la renverse, sa tête donna contre le sol bétonné, qui acheva de lui ouvrir le crâne.

Cinq secondes s'étaient écoulées depuis qu'Harry avait levé son arme. Quatre hommes gisaient morts aux pieds de Quaid !

Quaid contemplait les corps sans comprendre comment il avait pu accomplir cela. Il baissa les yeux sur ses mains maculées de sang avec le sentiment qu'elles appartenaient à un autre que lui.

Il se souvint d'avoir pensé que c'était le moment d'abattre les cartes. Puis tout s'était passé en un éclair.

Il reprit conscience de l'endroit où il se trouvait. Impossible de rester là. Quelqu'un pouvait venir. Il devait partir, fuir ce cauchemar, monter chez lui, retrouver la paix, retrouver Lori...

9

« ÉPOUSE »

QUAID fit irruption dans le hall de l'immeuble, indifférent aux regards médusés de trois autres résidents qui attendaient devant les ascenseurs. Ils lui laissèrent le premier appareil disponible, préférant attendre le suivant.

Il arriva enfin chez lui, mais son soulagement fut de courte durée. Harry et les trois autres n'étaient certainement pas les seuls lancés à sa poursuite.

Lori, face à l'écran holographique, s'entraînait au tennis, synchronisant son jeu avec celui de l'hologramme d'une joueuse professionnelle. Elle sourit à Quaid, satisfaite de sa séance.

— Bonsoir, chéri ! lança-t-elle gaiement.

Quaid, prenant soin de se baisser en passant devant les fenêtres, éteignit chaque lampe allumée puis écarta Lori de l'écran lumineux qu'il débrancha.

Elle le regarda avec stupeur.

— Des types ont essayé de me tuer ! s'écria-t-il.

— Des voleurs ?

— Non, des espions ou je ne sais qui. Mon collègue Harry était avec eux.

Elle le regarda, bouche bée.

— Mais pourquoi chercherait-on à te tuer ? parvint-elle à articuler.

Il haussa les épaules.

— Tout ce que je sais, c'est que Mars y est pour quelque chose, dit-il à voix basse.

Lori considéra Quaid d'un air perplexe. Elle commençait à s'interroger sur son équilibre mental, et au point où en étaient les choses, il ne pouvait lui en vouloir.

— Mars ? Mais tu n'es jamais allé là-bas !

— Je sais. C'est fou. Je suis allé dans cette agence, Souvenance, et c'est à mon retour...

Elle ouvrit de grands yeux.

— Tu es allé chez ces manipulateurs de neurones ? s'écria-t-elle, interloquée.

— Laisse-moi finir !

Mais après ce qui s'était passé, il ne pouvait nier que son existence, jusque-là plutôt tranquille, voire monotone, avait pris une tournure dépassant son entendement.

— Que leur as-tu demandé ? demanda-t-elle. Dis-le-moi !

— Une simple excursion sur Mars.

De cela, il se souvenait maintenant. Du voyage lui-même il ne gardait aucune mémoire. Un incident quelconque s'était produit... Mais pourquoi cela lui avait-il valu une condamnation à mort ?

— Oh, Doug ! (Elle avait dû croire qu'il était enfin débarrassé de cette obsession de Mars. Elle semblait désespérée.)

— Ce n'est pas là le plus important, dit-il. Ces hommes allaient me tuer mais... (Il hésita au souvenir de ce qui s'était passé...) c'est moi qui les ai tués !

Aussi incroyable que cela pût lui paraître à cet instant, il était certain de n'avoir pas rêvé. En eût-il douté, le sang qui maculait ses mains et la chemise de Lori était là pour le persuader du contraire.

— Doug, écoute-moi. Personne n'a essayé de te faire du mal. Tu as eu une hallucination. Ces charlatans, à Souvenance, ont joué avec ton cerveau et provoqué un délire paranoïaque.

Il lui plaça ses phalanges rougies sous les yeux.

— Et ça, c'est une hallucination ?

Elle demeura interdite, se demandant manifestement si elle devait craindre pour lui ou... avoir peur de lui.

Mais toute discussion lui paraissait vaine, à présent. Il courut à la salle de bains en évitant de passer devant les fenêtres. Leur appartement était à un étage élevé, mais n'importe quel tireur d'élite pouvait l'atteindre, surtout s'il s'était placé au même niveau dans l'un des immeubles voisins.

Lori attendit qu'il refermât la porte de la salle de bains derrière lui et se précipita sur le vidéophone.

— J'appelle un médecin ! cria-t-elle par-dessus son épaule.

— Non ! N'appelle personne !

Un léger sourire passa sur les lèvres de Lori, alors qu'un visage d'homme apparaissait à l'écran.

— Richter, murmura-t-elle. (Les traits de l'homme avaient quelque chose de dur et de cruel, mais ils s'adoucirent à la vue de Lori.) Bonsoir, dit-elle. (Elle lui souffla un baiser.)

Dans la salle de bains, Quaid se lavait les mains avec soin. Ses phalanges n'étaient pas touchées, pas même douloureuses. Il lui était rarement arrivé de se battre avec des gars du chantier. Toutefois, lorsque cela s'était produit, il avait su placer quelques coups de poing, mais en avait également encaissé. Des bagarres plutôt maladroites, qui se soldaient au pire par une lèvre fendue ou un œil tuméfié. Rien à voir avec la technique meurtrière et froide qui, en cinq secondes, avait tué Harry et ses trois hommes de main. Jamais il ne s'était battu ainsi, avec cette rapidité foudroyante, cette précision dans les coups. Des coups qui, tous, s'étaient avérés mortels. D'où lui venait cette science du combat ? Ce calme étrange qui avait précédé l'explosion ? Il se regarda dans la glace et frissonna, comme s'il découvrait l'image d'un tueur.

Cette fois, il aurait aimé que tout ceci ne soit qu'un cauchemar. Il savait, hélas, qu'il n'en était rien. Ebranlé mais toujours conscient de la traque inexplicable dont il faisait l'objet, il éteignit la pièce et rouvrit la porte.

Mais, mû par une instinctive prudence, il se garda de la franchir tout de suite.

La seconde d'après une volée de balles traçantes zébra de rouge l'espace étroit de la salle de bains, faisant voler en éclats miroir et flacons. Quaid se jeta à terre et rampa rapidement jusqu'à la grande salle de séjour.

— Lori ! cria-t-il en s'abritant derrière un canapé. Sauve-toi !

La pièce était plongée dans l'obscurité. Seuls les rectangles des fenêtres se découpaient dans la nuit pâlie par les lumières de la ville. Quaid fit un mouvement, et une nouvelle rafale déchiqueta le dossier du canapé. Il bondit, roulant sur lui-même avec une souplesse et un silence dont il ne se savait pas capable. Il se figea dans le noir, tous les sens en alerte. Il perçut un froissement à l'autre bout du salon. Le tireur était à l'intérieur !

Lori n'avait pas répondu. Ils avaient dû lui tomber dessus par surprise pendant qu'il était dans la salle de bains. Ils le paieraient cher si jamais ils l'avaient blessée.

Il n'avait toujours pas retrouvé la mémoire d'un passé qui lui restait étranger, mais il réalisait que ce n'était pas son baptême du feu. Il avait déjà connu ça, et il savait comment l'affronter.

S'emparant sans bruit d'un coussin, il le jeta à travers la pièce.

Tandis que l'assaillant concentrait son tir sur la zone où avait atterri le coussin, Quaid bondit avec la célérité feutrée d'un félin sautant sur une proie.

Dans l'instant, il fut sur la silhouette imprécise du tireur. Le pointillé rouge d'une rafale partit de nouveau. D'un coup de pied, il fit sauter l'arme des mains du tireur. Son poing fendit l'obscurité, atteignit l'adversaire à l'épaule. Celui-ci semblait de petite taille, mince et rapide. Quaid se jeta sur lui, l'enserrant dans l'étau de ses bras, le poussa contre le mur. Pesant sur lui de tout son poids, il tendit une main vers l'interrupteur.

La lumière inonda la pièce, forçant Quaid à cligner les yeux.

C'était une femme qu'il immobilisait dans ses bras. C'était Lori.

Sa stupeur était totale. Sa propre femme voulait sa mort ?

— Lori...

Elle le frappa d'un coup de pied à la cheville. Un coup sec, précis, si douloureux qu'il relâcha un instant sa prise.

Elle lui porta alors un coup de coude au visage, le forçant à rejeter le buste en arrière. Une volée de manchettes suivit, l'atteignant au cou, à la tête. Là encore, des coups précis, puissants, qui faisaient mal et qui auraient assommé tout autre homme. Seuls la puissance de Quaid et surtout son conditionnement le protégèrent. D'instinct il tendit ses muscles, la respiration bloquée, réduisant l'impact des manchettes avec un art consommé.

Davantage abasourdi par la découverte que son adversaire était sa propre femme que par les coups qu'elle lui portait, Quaid ne répliqua pas. Il continua d'esquiver comme il le pouvait jusqu'au moment où une manchette portée en revers l'atteignit à la gorge. Encore une autre de cette force, et elle lui briserait la carotide aussi sûrement qu'il l'avait fait lui-même à Harry quelques instants plus tôt dans le parking.

Il la frappa à l'estomac. Le coup, puissant, la projeta jusque dans la cuisine. Mais elle resta debout, apparemment peu affectée. Cette résistance était par nécessité le fruit d'un sévère entraînement. Qui était Lori ? Il n'avait jamais connu d'elle qu'une femme douce, aimante, coquette. Il découvrait une combattante, rompue aux arts martiaux. Comment pouvait-elle être l'alliée de ceux qui cherchaient à le tuer ? Elle qui avait tant voulu le guérir de cette obsession de Mars !

Il avança vers elle. Il fallait qu'il la maîtrise, la fasse parler. Les coups qu'elle lui avait infligés l'avaient affaibli, et les effets de la drogue administrée par le Dr Lull ne s'étaient pas tout à fait dissipés.

Il n'avait pas fait trois pas que Lori s'était emparée d'un couteau de cuisine et allait maintenant à sa rencontre, se déplaçant avec la sûreté d'une professionnelle. Prudent, il recula.

Du coin de l'œil il aperçut son pistolet dans le salon. Il se déplaça dans cette direction mais, comme il portait la main vers l'arme, Lori l'empêcha de s'en emparer d'un coup de couteau au bras. Il fit une nouvelle tentative, mais elle le toucha au torse, lui faisant une longue estafilade. Ils continuèrent de tourner autour de l'arme, sans qu'il puisse s'en saisir et sans qu'elle puisse le blesser gravement.

Il feinta de nouveau, tendit la main gauche. Elle le piqua au bras, mais ne put éviter un solide crochet du droit à la mâchoire.

Sonnée, Lori tomba. D'un geste vif. Quaid ramassa le pistolet et le pointa sur elle.

— Parle !

Comme elle ne répondait pas, il appuya le canon contre son oreille avec brutalité. L'autre personnalité — la dure, l'impitoyable — avait repris le dessus.

— Pourquoi ma propre femme veut-elle me tuer ?

— Je ne suis pas ta femme !

Il arma le pistolet. Une lueur de panique passa dans les yeux de Lori.

— Je te le jure ! Il y a à peine six semaines, je ne te connaissais pas encore ! Notre mariage n'est qu'un implant mémoriel. Ahhh !

Quaid l'empoigna par les cheveux et lui rejeta la tête en arrière. Comment pouvait-elle lui faire croire que leurs huit années de mariage n'avaient pas existé ? Lui s'en souvenait !

Il se souvenait du jour de leur rencontre, quand elle avait traversé la rue. De la cérémonie, du contraste entre son père humblement vêtu et celui de Lori, en grand manteau de peau de grenouille. De leur voyage de noces, du champagne vénusien qu'il avait goûté pour la première fois de sa vie. Il revoyait encore les coupes de cristal dans lesquelles pétillait un vin bleu.

— Tu me prends pour un idiot ? dit-il, amer.

Le regard de Lori lui signifia que c'était bien sa pensée.

— Je me souviens parfaitement de notre mariage.

— Implanté par l'Agence !

— Et notre amour aussi ? répliqua-t-il, songeant soudain que ce n'était pas vraiment de l'amour qu'il avait éprouvé pour Lori. Certes, ils s'entendaient bien au lit, mais il réalisait maintenant que son cœur était auprès de cette femme de Mars.

— Implanté comme le reste, répondit-elle avec froideur.

— Nos amis, mon travail, nos huit années de vie commune, implantées par l'Agence, hein ?

— Oui, sauf ton travail. Mais c'est l'Agence qui te l'a fourni.

— Tu parles !

Il la repoussa, mais garda l'arme braquée sur elle. Il avait beau s'accrocher à son scepticisme, il n'en était pas moins ébranlé par ce que venait de lui révéler Lori. Comme Harry, qui lui avait déconseillé d'essayer Souvenance, Lori avait tout tenté pour qu'il oublie Mars, qui revenait sans cesse dans ses rêves. Il ne comprenait pas encore pourquoi, mais il commençait à admettre qu'il n'avait pas toujours mené l'existence banale d'un ouvrier du bâtiment.

— Ils ont effacé ta mémoire et t'en ont implanté une nouvelle. J'ai joué le rôle d'épouse pour te surveiller et prévenir toute réminiscence possible. Désolée, Quaid, dit-elle d'un ton dénué de regret, mais toute ta vie n'est qu'un rêve.

Il s'adossa au mur. Un rêve, sa vie ? Les paroles de Lori résonnaient dans sa tête, froides comme un constat de police.

— Si je ne suis pas Doug Quaid, alors qui suis-je ?

— Ça, j'en sais rien. Je ne suis qu'une employée, à l'Agence.

Quaid s'assit sur une chaise. Si l'existence et l'identité

qu'il se connaissait n'étaient qu'une illusion, qui était-il et que faisait-il auparavant ? Il ne savait où aller ni que faire. Il avait l'impression que le sol se dérobait sous lui, et qu'il ne pouvait se rattraper à rien.

Lori fit soudain preuve d'une compassion inattendue. Son visage s'adoucit.

— Tu me manqueras, Quaid, dit-elle. Tu as été la meilleure mission que j'aie jamais eue. Sincèrement.

— J'en suis très flatté, dit-il, se méfiant de ce revirement d'attitude.

L'empoignant par le bras, il l'entraîna avec lui jusqu'à la fenêtre. Il était sûr que d'autres agents l'attendaient dehors. Il avait pu les contrer jusqu'ici, mais la traque n'était pas finie.

— Ça te dirait qu'on le fasse une dernière fois ? demanda-t-elle. En souvenir du bon temps qu'on a quand même passé ensemble ?

Il songea avec amertume que si Lori lui avait dit la vérité, ils n'avaient jamais été que des étrangers l'un pour l'autre. S'imaginait-elle qu'il tomberait dans le piège qu'elle essayait de lui tendre ? Il scruta la nuit, sachant qu'il devait agir vite. Mais comment ?

— Si tu ne me fais pas confiance, tu n'as qu'à m'attacher, dit Lori en dénudant sa poitrine.

— Je ne te connaissais pas ce goût-là. Tu as toujours aimé avoir les mains libres.

— Oh, il y a beaucoup de choses de moi que tu ne connais pas, dit-elle d'une voix chaude.

Que cherchait-elle ? Faire l'amour n'était certainement pas sa préoccupation du moment. Il se tourna vers elle et la surprit en train de regarder en direction de l'écran-vidéo.

Pour des raisons de sécurité, une caméra projetait en permanence dans un coin du vaste damier audiovisuel des images du hall et des couloirs de l'immeuble. Quatre hommes s'engouffraient dans un ascenseur. Celui qui semblait être leur chef était un type énorme à l'expression dure et cruelle.

Quaid appuya le canon du pistolet contre la tempe de Lori.

— Rusée, hein ? grinça-t-il.

— Tu n'oserais pas me tuer, Doug, n'est-ce pas ? dit-elle d'une voix douce. Pas après tout le plaisir que nous nous sommes donné.

— C'est vrai, Lori, nous avons pris du bon temps...

— Alors, nous pourrions... une dernière fois ?

— Qui sont-ils ? gronda-t-il, sachant trop bien qu'elle cherchait à gagner du temps.

— Qui ça ?

Pour toute réponse, il pressa plus fort le canon contre sa tempe.

— Le gros, c'est Richter. Un méchant. Son équipier s'appelle Helm, et ce n'est pas un tendre non plus. Ecoute, Doug, c'est vrai, je cherchais à gagner du temps. C'est mon travail. Mais je peux t'aider à t'échapper si...

Il abaissa l'arme et lui caressa le sein. Elle lui sourit, cambra son corps vers lui. Soudain il leva le pistolet et, d'un coup de crosse, l'assomma proprement.

— Content de t'avoir connue, dit-il étonné de son geste.

Quaid le combattant avait pris la relève. Il espéra que cet autre lui-même connaissait son boulot et qu'il le tirerait d'un pétrin qui s'annonçait sanglant !

10

MÉTRO

LE couloir de l'étage était désert. Quaid s'élança. En passant devant la cage de l'ascenseur, il entendit l'appareil qui s'élevait lentement avec son chargement de tueurs. Il s'engouffra dans une sortie de secours, juste au moment où l'ascenseur s'arrêtait.

Il s'aplatit contre le mur, retenant son souffle, l'oreille tendue. Il les entendit se précipiter dans son appartement. Un, deux, trois, quatre. Comment pouvait-il les compter avec une telle certitude d'après le seul martèlement de leurs pas. Il devait avoir suivi un entraînement très particulier dans cette vie antérieure que l'on avait tenté d'effacer de sa mémoire.

Quatre : le même nombre d'hommes aperçus sur l'écran-vidéo. Il n'y avait donc personne pour l'attendre en bas ? Une erreur de leur part, se dit-il en commençant à dévaler l'escalier par quatre, cinq marches à la fois, aidé par la rampe en spirale. Là encore, il reconnut le fruit d'un entraînement, et il s'en félicita parce qu'il n'avait pas moins de deux cents étages à descendre !

C'était la raison pour laquelle il avait pris le temps d'interroger Lori. Il connaissait le temps qu'il faudrait aux quatre hommes pour arriver. L'ascenseur était rapide, certes, mais ce n'était tout de même pas une fusée. A présent il avait plus d'un kilomètre et demi de marches à franchir. Pourrait-il le faire en cinq minutes ? Il le fallait, en tout cas, car ses poursuivant ne mettraient guère plus d'une minute à constater sa fuite et, en comptant deux minutes d'attente pour avoir un ascenseur, trois autres pour la descente, cela faisait un total de six minutes. Il n'aurait jamais qu'une minute d'avance sur eux lorsqu'il atteindrait le rez-de-chaussée. Aussi continua-t-il de dévaler les marches à une vitesse suicidaire.

Quand il aurait atteint le premier niveau, il se laisserait glisser par la gouttière de secours, prévue en cas d'incendie. C'était un bon raccourci pour gagner le métro.

Dix, quinze... il cessa de compter les étages, concentrant toute son attention sur ses bonds de marche en marche.

Richter entra le premier dans l'appartement. Son visage eut une crispation rageuse à la vue de Lori étendue sur le sol. Il avait averti Lori du danger qu'elle courait avec celui qu'ils appelaient Quaid, mais elle s'était gentiment moquée de lui. N'avait-elle pas déjà prouvé qu'elle savait se défendre toute seule ? Il s'agenouilla près d'elle, lui tapota la joue.

— Lori, hé, Lori ! appela-t-il d'une voix inquiète.

Elle cligna les paupières et gémit en portant la main à son crâne.

— Ça va ? demanda doucement Richter.

Elle hocha la tête.

— Désolée, mais j'ai fait ce que j'ai pu, dit-elle d'une voix faible.

— De quoi se souvient-il ?

— De rien... pour le moment.

Helm avait sorti de sa poche un petit appareil de détection qu'il promena tout autour de lui. Soudain un voyant rouge commença de clignoter. Helm pressa un bouton, et le minuscule écran du détecteur s'alluma, présentant un plan tridimensionnel du bâtiment. Le clignotant rouge décrivait rapidement une spirale descendante. Ils surent que Quaid avait emprunté l'escalier et qu'il allait bon train.

Puis le point rouge se détacha de l'immeuble, et

Richter et Helm se déplacèrent jusqu'à la fenêtre. Ils repérèrent Quaid qui glissait par le large toboggan de secours.

— Merde ! grogna Richter. Il va prendre le métro. Vite, vite !

Helm et les deux autres agents foncèrent vers la porte, mais Richter demeura en arrière. Il se pencha vers Lori et la releva en douceur. Il la serra dans ses bras. Ça faisait bien trop longtemps qu'il n'avait pas senti son corps contre lui, et il ne savait pas quand il en aurait de nouveau l'occasion.

— Ramasse tes affaires et file, dit-il, s'écartant d'elle.

— Et s'ils le ramènent là-bas ? demanda Lori, alors qu'il se dirigeait vers la porte.

Richter s'arrêta, se tourna vers elle, et elle n'aima pas ce qu'elle lut dans ses yeux.

— Ça ne risque pas de se produire, dit-il, et il s'en fut rejoindre ses hommes.

Quaid poussa un soupir de soulagement en arrivant à la station de métro. Il l'avait eue, sa minute d'avance. Ah ! il ne risquait plus de trouver son existence monotone, à présent. Il commençait même à la regretter. A la stupeur qu'avaient provoquée en lui les révélations de Lori s'ajoutait maintenant la peur de voir ses jours abrégés par cette bande de tueurs lancés à ses trousses. Son mariage n'avait donc duré que six semaines ? Pas étonnant que Lori lui parût aussi belle et jeune qu'au premier jour de leur rencontre !

Son arrivée au pas de course dans la station lui valut des regards intrigués, et il ralentit, se mêlant à la foule des voyageurs, jetant de temps à autre un coup d'œil derrière lui. Il ne doutait pas une seule seconde de la détermination de ses poursuivants.

Les minutes passèrent avec une lenteur désespérante, tandis qu'il attendait le train à l'entrée de la zone de sécurité. Enfin il perçut le grondement des boggies sur les rails. Il avait peut-être une chance !

Le portique de détection ! S'il voulait le franchir sans

donner l'alerte au service de sécurité, il lui fallait se débarrasser du pistolet. Il allait le jeter dans une poubelle quand, jetant un regard derrière lui, il vit Richter et ses sbires surgir dans la station. Bon sang! trente secondes de plus, et il leur faussait compagnie !

Plus question de se priver d'une arme, à présent que les tueurs l'avaient repéré. Jouant des coudes, il s'engagea sous le portique, et sur l'écran apparut son squelette. Dans sa main osseuse, le pistolet rougeoyait ! Une puissante alarme retentit. Des gardes accoururent. Décidément, on veillait à la sécurité dans cette station !

Les voyageurs, confus, hésitèrent, bloquant le passage. Derrière lui, Richter et Helm arrivaient au pas de course. Devant, les gardes, arme au poing, se frayaient un chemin parmi la foule compacte. Il ne lui restait qu'une seule issue : tel un taureau, il chargea l'écran. L'image de son squelette s'agrandit comme à travers un zoom puis se pulvérisa en mille éclats vitreux, arrachant des hurlements de frayeur aux voyageurs.

Il s'en tirait une nouvelle fois, mais où aller ? Un autre couloir s'ouvrait devant lui. Il s'élança, passa devant quelques silhouettes figées de stupeur, dévala un escalier. Il avait une chance d'attraper un train au niveau inférieur. Peu importait sa direction ; il s'agissait avant tout de sauver sa peau.

Richter et ses hommes parvinrent en haut de l'escalier emprunté quelques instants plus tôt par Quaid. Le détecteur indiquait que leur gibier continuait de gagner les niveaux inférieurs. Comptait-il prendre un train ? Pour aller où ? Richter écarta cette idée. Quaid n'avait aucun refuge dans cette ville. Il ne tarderait pas à remonter par l'un des escalators pour tenter de fuir par les rues. Il décida donc de laisser deux de ses hommes en haut, et il entraîna Helm avec lui dans l'escalier.

Quaid atteignit le bas des marches. Il regarda de droite et de gauche. Pas de tueurs en vue. Il y avait un peu plus loin un escalator remontant vers le niveau de la rue. Il s'y dirigea avec le pressentiment qu'à tout moment il risquait de tomber sur ses poursuivants. Pourquoi cherchait-on à le tuer, après l'avoir traité comme ils l'avaient fait ? Dans un bel appartement, avec une compagne telle que Lori ? Avaient-ils voulu le mettre à l'ombre pendant quelque temps, pour qu'il puisse témoigner en temps voulu lors d'un grand procès ? C'était plausible. Ils avaient donc effacé sa mémoire pour l'empêcher d'avertir ses alliés au lieu de jouer contre eux les témoins à charge. Lori avait donc reçu pour mission de le distraire, corps et âme, le corps surtout. Et tout aurait marché comme prévu si une certaine brune n'avait hanté son sommeil.

Il s'engagea dans l'escalator, guettant le danger par-dessus les têtes des voyageurs. Et soudain il les vit. Quatre agents étaient là-haut, sur le palier, et ils ne mirent pas deux secondes à le repérer.

Il n'y eut pas de sommations. Ils dégainèrent et firent feu.

Quaid se baissa, et un homme devant lui prit une balle en pleine tête. Il tomba dans les bras de Quaid, le crâne éclaté.

Des hurlements de panique se mêlèrent aux miaulements des projectiles. Tout le monde s'était aplati sur les marches, laissant Quaid à découvert, cible facile pour les tireurs postés plus haut. Facile ? Pas pour le combattant d'élite qu'avait été l'autre Quaid.

Il chargea, le cadavre de l'homme abattu lui servant de bouclier, montant les marches comme si celui-ci ne pesait pas plus lourd qu'une poupée de son, faisant feu de sa main libre. Il tira quatre fois, et chaque balle atteignit sa cible. Quaid ne se connaissait pas tant de talent, mais il commençait à être fier de cet alter ego incroyablement doué pour la survie.

Pour le moment il était sauf. Il allait poursuivre vers le haut et...

Une balle lui siffla à l'oreille. Le coup venait de derrière. Il se retourna. Richter et Helm s'élançaient sur l'escalator, piétinant les corps prostrés des voyageurs tout en faisant feu de leurs pistolets. Ils auraient dû prendre le temps de s'arrêter et de viser pour être efficaces, songea Quaid. Il souleva le cadavre au-dessus de lui et le projeta sur les deux agents, qui tombèrent à la renverse comme des quilles. Puis il avala le reste des marches et fonça dans le couloir.

Il n'avait que quelques secondes d'avance. Où aller ? La rue ? Il écarta aussitôt l'idée. Ils avaient sûrement posté des hommes à toutes les sorties de la station.

Il ne lui restait qu'à tenter de nouveau sa chance avec un métro, quelle que fût sa direction. Il y avait de multiples stations, et ses ennemis ne pourraient les surveiller toutes. S'il parvenait à sauter dans un train, ce seraient des minutes d'avance qu'il aurait alors sur ses poursuivants. Peut-être pourrait-il sortir de la ville et se perdre dans la nature.

Il dissimula son arme sous sa chemise ; il se trouvait à présent à l'intérieur de la zone de sécurité et ne risquait pas de déclencher un quelconque détecteur. Il s'engouffra dans le premier couloir menant à l'un des quais. Par chance, un train venait d'arriver, et les derniers voyageurs se hâtaient d'y monter.

Quaid sprinta. Il n'avait que quelques secondes pour franchir les quarante à cinquante mètres qui le séparaient du dernier compartiment. Les portières se refermaient quand Quaid bondit, déboulant à l'intérieur au grand effroi des voyageurs.

A l'instant où le train s'ébranlait, la vitre de la portière vola en éclats sous une volée de balles. Richter et Helm le suivaient de près !

— Baissez-vous ! hurla-t-il à la ronde, et chacun, mesurant le danger d'autant plus vite que les vitres explosaient l'une après l'autre, se mit à l'abri comme il put.

Comme ils prenaient de la vitesse, Quaid risqua un regard par une fenêtre. Richter et Helm, grimaçant de rage et de dépit, regardaient la rame s'éloigner. Il souffla. Il leur avait échappé... pour le moment.

11

AIDE

RICHTER et Helm sortirent de la station de métro sous une pluie battante et ils se hâtèrent vers leur voiture. Richter était fou de rage. Non seulement ils avaient laissé filer Quaid, mais encore n'avaient-ils pu se soustraire à un contrôle de leurs identités par le service de sécurité du métro, alerté par les coups de feu. Mauvais pour l'avancement, ce genre d'incident. Et puis quatre agents de plus étaient tombés, ce qui portait à huit le chiffre de leurs pertes, sans parler de deux civils, victimes de balles perdues. Bref, une série de bavures, la première d'entre elles revenant à Harry, un médiocre à qui on n'aurait jamais dû confier pareille mission. Cependant, c'était Richter lui-même qui, cette fois, avait échoué ou, dit autrement, manqué de peu réussir, deux formulations pour ce qui, de toute façon, lui vaudrait un blâme.

Il le haïssait, celui qu'on appelait Douglas Quaid. Jamais il ne lui avait fait confiance. Seul Cohaagen avait eu foi en ce salaud; il lui avait même confié des responsabilités. A cette pensée, Richter eut un rictus de dégoût.

Toutefois, sa haine viscérale pour le personnage n'avait commencé de le ronger qu'avec la mission confiée à Lori, choisie pour jouer « Mme Douglas Quaid ». Depuis, il rêvait d'écraser son rival à coups de talon, comme on le ferait d'un serpent. Avec un peu de chance, il lui en ferait baver, avant de l'achever.

Ils s'engouffrèrent dans la voiture, Helm au volant et Richter, à la place du passager, devant une console sophistiquée, avec cartes électroniques, détecteurs et matériel de communication. Il enfonça d'un pouce rageur une série de boutons, cherchant à repérer leur gibier dans l'écheveau des lignes souterraines du métro. Mais les instruments restèrent muets. Aucune trace du fugitif. C'était bien le moment que leurs détecteurs tombent en panne ! Cohaagen, qui ne partageait pas son opinion sur cette affaire, se saisirait de la moindre défaillance — fût-elle matérielle — pour la lui retirer.

La radio de bord grésilla.

— Six bêta neuf, vous avez un appel de M. Cohaagen.

Richter coula un regard vers Helm. Quand on parle du loup...

Il essuya la pluie de son visage, tenta de lisser ses cheveux, maudissant en la circonstance cette technologie capable de vous mettre en communication vidéophonique avec une planète lointaine.

Le petit écran-vidéo s'alluma, et l'image neigeuse du visage de Cohaagen apparut. Une vraie gueule de dogue à qui on aurait chipé son os, fixant sur Richter un regard mauvais.

— Vous pouvez dire ce que vous branlez, Richter ?

Richter grimaça un sourire laborieux qui n'avait jamais trompé personne.

— Sir, je tente de neutraliser un traître.

Ce terme de traître alluma une lueur maligne dans ses yeux. L'expression ne serait pas du goût de Cohaagen.

— Neutraliser ! explosa l'autre. Si cela avait été mon intention, je ne l'aurais pas mis en réserve sur Terre !

Richter prit un air soucieux et grave, aussi faux qu'une contrefaçon artisanale.

— Mais nous ne pouvons pas le laisser courir, sir. Il en sait trop !

— Lori affirme qu'il ne se souvient de rien.

— Pour le moment, pour le moment, sir, repartit

Richter. Je ne lui donne pas une heure pour que la mémoire lui revienne.

— Ecoutez-moi, Richter. Un flot de parasites brouilla la communication, mais pas assez pour rendre inintelligibles les paroles de Cohaagen. — Je veux Quaid vivant. Vivant, vous entendez ? On procédera à un nouvel implant mémoriel, et on le placera de nouveau sous la surveillance de Lori.

Compte là-dessus, mon gros, pensa Richter, se retenant de sortir son arme et de pulvériser cette saloperie d'écran.

— Vous m'entendez ? demanda Cohaagen.

Hors du champ de la caméra intégrée à la vidéo, la main de Richter abaissa un commutateur, coupant la réception. Personne à l'autre bout de la ligne ne pourrait expliquer l'interruption.

— Que disiez-vous, sir ? Je ne vous entends pas...

— Je disais... ram... viv... ka... ent... squich...

Richter intensifia l'interférence, hachant menu les aboiements d'un Cohaagen aux traits déformés par la fureur.

Pendant ce temps, Helm contemplait le ruissellement de la pluie sur le pare-brise, feignant une totale indifférence à ce qui se passait à côté de lui. Il n'aimait pas plus que son supérieur que le gibier vous fausse compagnie.

— Allô ? Allô ? poursuivit Richter. Je ne vous entends pas. Je vais essayer une autre fréquence.

Un point rouge apparut soudain sur l'écran de contrôle du détecteur. Helm fit signe à Richter. Ils avaient retrouvé la trace de leur homme.

— Sir ? Sir ? (L'image de Cohaagen avait à présent disparu de l'écran-vidéo.) Allô ? Allô ?

Voix chargée de toute l'inquiétude d'un loyal subordonné, qu'un incident technique avait empêché de prendre note d'un changement d'ordres. D'ailleurs, ce n'était pas la première fois, et ce ne serait pas la dernière, que les communications entre Mars et la Terre connaissaient ce genre de mésaventure. Personne ne pourrait jamais rien prouver.

Richter coupa la liaison, et un sourire étira ses lèvres minces.

— Ce connard, il aurait dû descendre Quaid, quand il en a eu l'occasion, dit-il. Et lui, Richter, allait s'en charger, maintenant. Avec une joie sans nom.

Helm démarra brutalement, projetant une gerbe d'eau sur des passants, dont les cris de protestation furent une musique aux oreilles de Richter.

Quaid avait décidé de ne pas trop s'éloigner. Ils devaient s'attendre à ce qu'il tente de sortir de la ville, et les portes devaient déjà être surveillées.

Il descendit quelques stations plus loin et se rendit aux toilettes. Le miroir crasseux lui renvoya une triste image. Il se lava le visage et les mains et entreprit en vain de faire disparaître les taches de sang qui maculaient ses vêtements. Une poussière noire s'était accumulée au bas du mur et, mû par une idée soudaine, il en recueillit dans ses mains et en recouvrit les taches rouges. Il ressemblait maintenant davantage à un ramoneur qu'à un tueur aux abattoirs. Il se donna un coup de peigne, affecta l'expression lasse d'un ouvrier rentrant épuisé de son travail et s'en fut prendre une autre ligne de métro.

Il savait qu'il ne pourrait répéter indéfiniment ces trajets en tous sens. D'abord, il lui fallait un peu d'argent pour gagner une autre région.

Il s'arrêta à un distributeur de billets et retira le maximum autorisé, soit de quoi se payer un billet d'avion. Evidemment, le retrait n'échapperait pas à la vigilance des tueurs lancés à ses trousses. C'était la raison pour laquelle ils n'avaient pas fait annuler sa carte de crédit.

Poussé par quelque intuition qu'il ne s'expliqua pas, il prit ensuite la direction du centre de la ville, au lieu de gagner l'aéroport le plus proche, espérant ainsi qu'il brouillerait sa piste.

Il émergea dans un quartier pauvre, où rien ne semblait avoir changé depuis la fin du XXe siècle. Seules

les façades des immeubles étaient un peu plus décrépites, les chaussées un peu plus défoncées et les trottoirs un peu plus encombrés d'ordures.

Le lieu idéal pour se cacher. Il repéra un hôtel borgne, où on accepterait qu'il paye cash sans lui poser de questions, et où il pourrait se reposer, nettoyer ses vêtements.

Il scruta la rue, n'y décela rien d'insolite. Il se hâta vers l'hôtel.

Helm conduisait vite sur la chaussée luisante de pluie.

— Hé, dit-il à Richter, tu dois être drôlement content que Lori ne soit plus sur l'affaire. Les mâchoires crispées, Richter garda les yeux fixés sur le détecteur.

— Elle a fait son boulot, c'est tout, dit-il d'un ton sec.

— Ouais, mais en tout cas j'aimerais pas que Quaid s'envoie ma gonzesse.

Richter eut un grognement. D'un mouvement vif, il se saisit de l'oreille de son collègue et la pinça jusqu'au sang. La voiture fit une embardée.

— Pourquoi, parce qu'elle risquerait d'aimer ça? C'est ça que tu veux dire?

Helm s'efforça de garder le contrôle de la voiture.

— Non, non, bien sûr que non! couina-t-il entre ses dents serrées. C'était sûrement terrible pour elle.

Richter resserra davantage l'étau de ses doigts sur le cartilage puis il retira sa main. Sur l'écran du détecteur, le point rouge s'était immobilisé.

— Zone vingt-huit, dit-il avec un sourire. Le vieux quartier. Ce con n'a pas encore compris qu'il portait un émetteur!

C'était de cette façon qu'ils avaient appris sa visite à Souvenance. L'alarme avait retenti dès qu'il avait dévié de son trajet quotidien. Une brève visite à l'agence de souvenirs fictifs leur avait appris le reste. Ils avaient interrogé les quatre personnes qui composaient tout le personnel, puis ils les avaient proprement descendues.

Helm arrêta la voiture au coin d'une rue et se frotta l'oreille.

Cela faisait tout juste trois minutes que Quaid était dans sa chambre d'hôtel, aussi vétuste et misérable qu'il s'y attendait, quand le téléphone sonna. Qui pouvait l'appeler ? Le réceptionniste borgne qui avait encaissé le prix d'une nuit sans paraître choqué par la saleté de ses vêtements ? Il hésita toutefois à répondre.

A la cinquième sonnerie, il finit par décrocher en prenant soin de se tenir à l'écart de l'écran, tout en pouvant voir celui-ci.

L'image qui apparut révéla une prudence semblable à la sienne : seule la main de son correspondant bloquant l'œil de la caméra était visible !

— Si vous tenez à la vie, ne raccrochez pas, dit une voix d'homme au timbre éraillé.

Quaid garda le silence, attendant la suite.

— Ils vous ont posé un émetteur, poursuivit l'autre, et ils seront ici dans trois minutes si vous ne faites ce que je vous dis.

Quaid, tout en restant caché, palpa ses vêtements. Quel imbécile il faisait ! Il aurait pu s'en douter.

— Inutile de chercher, l'émetteur est implanté en vous.

Quaid, interloqué, regarda autour de lui.

— Qui êtes-vous ? (Apparemment son identité était connue de celui qui l'appelait.)

— Vous occupez pas de ça. Dépêchez-vous plutôt de mouiller une serviette et de l'enrouler autour de votre crâne. C'est là que se trouve la puce émettrice. Ça atténuera le signal.

— Comment m'avez-vous trouvé ?

— Je vous conseille de faire vite !

Le lavabo était en face de lui. Il devait passer devant l'écran, mais il n'avait plus besoin de se cacher, maintenant.

— Ça vous fera gagner du temps, continua son correspondant. Ils auront du mal à vous localiser, tant que vous observerez cette précaution.

Quaid mouilla une grande serviette de toilette et

l'enroula autour de sa tête comme un turban. L'eau lui dégoulinait sur le visage et dans le cou.

Helm conduisait à travers le dédale des rues du vieux quartier. Suivant les indications de Richter. Soudain le signal transmis sur le détecteur faiblit au point d'être inaudible. Le point lumineux sur le petit écran se fondit lentement.

— Merde ! grogna Richter.

— Qu'est-ce qu'il y a ? demanda Helm.

Richter secoua le détecteur.

— On l'a perdu !

Richter savait que l'eau pouvait étouffer le signal. Peut-être Quaid était-il sous la douche ? Il serra le poing. Il n'était pas patient de nature, mais il attendrait. L'autre finirait bien par sortir de sa douche, et alors...

Quaid s'assura que le turban ruisselant d'eau tenait bien.

— C'est bon, commenta son correspondant, toujours invisible derrière sa main. Maintenant, regardez par la fenêtre.

Quaid s'exécuta et écarta prudemment le rideau. L'hôtel était une antique bâtisse qui n'excédait pas six étages. Il était facile de voir dans la rue.

— Il y a une cabine téléphonique à côté du bar qui fait le coin. (Quaid porta son regard vers la cabine et il découvrit son correspondant. Un homme en treillis militaire, le visage buriné barré d'une moustache sombre, regardait en direction de la fenêtre de la chambre. Il leva une trousse en cuir qu'il tenait à la main.) C'est la trousse que vous m'avez confiée, dit l'ancien mercenaire.

— Je vous ai donné cette trousse, moi ?

— Je la laisse ici, dans la cabine, continua l'homme. Descendez la prendre et sauvez-vous.

Quaid vit l'homme s'apprêter à raccrocher.

— Attendez !

— Quoi ? dit l'autre, manifestement impatient de s'esquiver.

— Qui êtes-vous ?

— Nous avons travaillé ensemble pour l'Agence, sur Mars. Vous m'aviez demandé d'essayer de prendre contact avec vous au cas où vous disparaîtriez. Me voici donc. Adieu.

— Attendez ! cria Quaid. Qu'est-ce que je faisais sur Mars ?

Mais l'homme avait déjà quitté la cabine et s'éloignait d'un pas rapide. Je travaillais à l'Agence ? se demanda Quaid, allant de surprise en surprise. Dans ce cas...

Mais le temps n'était pas aux supputations. Il se précipita hors de sa chambre, maintenant d'une main son turban sur la tête.

Pendant ce temps, Richter et Helm maraudaient avec leur voiture dans les rues jonchées de détritus. Richter continuait de secouer le détecteur comme pour lui arracher la vérité. En vain. Il n'empêche, il était certain que Quaid était là, tapi dans l'un de ces taudis.

Helm, derrière son volant, se gardait de tout commentaire.

Quaid eut quelques secondes d'hésitation avant de sortir dans la rue. Mais pourquoi ses ennemis auraient-ils utilisé ce stratagème pour l'abattre ? Ce n'était pas leur style, à en juger par la brutalité meurtrière de leur intervention dans le métro. S'ils avaient su qu'il se trouvait dans cet hôtel, ils l'auraient pris d'assaut ou fait sauter. Il se hâta vers la cabine au coin de la rue.

A son étonnement il découvrit qu'une vieille clocharde l'avait devancé. Elle tenait la trousse contre sa poitrine.

— Excusez-moi, madame, dit-il, mais ceci m'appartient.

La vieille lui jeta un regard méfiant.

— Ce n'est pas marqué dessus, répliqua-t-elle.

Quaid saisit la trousse et la tira doucement.

— Quelqu'un l'a déposée ici pour moi.

Mais la clocharde s'accrochait à sa trouvaille.

— Lâchez ça ! cria-t-elle. Vous devriez avoir honte, espèce de grande brute !

Déjà des passants s'arrêtaient pour observer la scène d'un air amusé.

Quaid n'avait nulle intention de violence, mais il lui fallait cette trousse. Et puis cet attroupement risquait d'attirer l'attention d'une tout autre espèce de badauds ! Il tira un coup sec, arrachant le sac des mains de la vieille et manquant perdre son turban dans l'affaire.

— Désolé, madame, marmonna-t-il et, tournant les talons, il s'éloigna au pas de course sous les insultes de la clocharde.

Dissimulé sous une porte cochère, l'ancien collègue de l'Agence, qui avait observé la scène avec inquiétude, poussa un soupir de soulagement. L'homme, qui portait aujourd'hui le nom de Quaid, lui avait plus d'une fois sauvé la vie au cours des nombreuses missions accomplies ensemble sur Mars comme sur Terre.

L'Agence avait bien changé depuis le temps où il y était entré. A l'origine, elle avait eu pour mission de contrôler les différents services d'espionnage travaillant pour l'Alliance du Nord et veiller à ce qu'ils ne deviennent pas des Etats dans l'Etat et ne menacent ainsi l'Alliance elle-même.

Puis Vilos Cohaagen avait été nommé à la tête de l'Agence et, sous son influence, l'Agence n'avait pas seulement exercé un contrôle sur les divers groupes du Renseignement, mais elle les avait peu à peu intégrés, créant de cette façon un gigantesque réseau d'autant plus redoutable que Cohaagen, mesurant le pouvoir qu'il pourrait en tirer, l'avait voulu invisible. La puissance de l'Agence s'était ainsi étendue, tel un immense travail de sape. Quand le gouvernement en avait pris enfin conscience, il était trop tard.

Cohaagen avait utilisé l'Agence pour amasser assez d'informations compromettantes sur les principaux leaders de l'Alliance pour les asservir ou les bannir des cercles du pouvoir. Son dossier sur le gouverneur de

Mars était accablant pour ce dernier. Cohaagen n'eut donc aucune peine à lui ravir sa place, sachant que quiconque contrôlait les mines de turbinium sur Mars contrôlait toute l'Alliance du Nord qui, sans turbinium pour alimenter ses armes, serait contrainte à la capitulation.

Cohaagen, devenu gouverneur de Mars, avait dû démissionner de ses fonctions à l'Agence, mais il avait pris soin de faire nommer à sa place un homme à sa solde, et il avait maintenant, non seulement le contrôle des mines, mais également celui de l'Agence.

L'ancien compagnon de Quaid sourit dans sa barbe. Cohaagen risquait un jour ou l'autre d'avoir une mauvaise surprise. Dévoré d'ambition et tellement avide de pouvoir, il avait ignoré les revendications du peuple de Mars, et surtout des mineurs, réprimant sauvagement le moindre geste de protestation. Mais la terreur qu'il avait imposée avait engendré une résistance qui menaçait désormais la production des mines et sapait l'entreprise du tyran.

L'homme en treillis secoua tristement la tête au souvenir des méthodes employées par l'Agence contre les protestataires. Il était un professionnel du renseignement, pas un tortionnaire, et il n'avait plus qu'un désir, quitter l'Agence au plus vite.

A présent qu'il avait payé sa dette à Quaid, il continuerait de préparer avec soin sa disparition. Il sortit de l'ombre et se mit en marche en affectant un pas tranquille, mais il était tendu. Il savait que l'Agence était à la poursuite de son ami. Si l'on découvrait que Quaid avait reçu de l'aide, tous les agents qui l'avaient approché de près ou de loin seraient interrogés, leurs emplois du temps vérifiés. C'est pourquoi il avait pris toutes ces précautions pour tenir la promesse faite à l'homme qui s'appelait aujourd'hui Douglas Quaid.

Comme ils traversaient un croisement, Helm repéra une silhouette qui lui sembla familière. Il fit signe à Richter. Celui-ci aussi reconnut l'homme. Que diable faisait Stevens dans ce quartier pourri ? N'avait-il pas fait équipe avec Quaid sur Mars ? Avait-il pris contact avec son ancien compagnon ? Richter allait le savoir.

Helm arrêta la voiture le long du trottoir. Les deux agents se glissèrent hors du véhicule et prirent Stevens en filature.

Stevens tourna dans une ruelle. Il jeta un regard derrière lui pour voir s'il était suivi... et tomba dans les bras de Richter et de Helm. Helm le poussa sans ménagement contre le mur et le savata durement, avec précision, jusqu'à ce que Stevens s'effondre en bordure du trottoir.

— Qu'est-ce que tu fous, Stevens ? demanda Richter. Venu filer un coup de main à ton vieux copain Quaid ?

— De quoi parlez-vous ?

Stevens reconnut Richter à travers un voile de douleur. S'appuyant sur une main, il tenta de se redresser, sachant bien qu'il avait déjà perdu la partie.

— Il te faut des précisions ?

Richter leva son pied et l'abattit sur la main de Stevens, lui broyant les phalanges. D'un coup de pied aux mâchoires, Helm coupa net le hurlement de douleur poussé par Stevens.

— Où est-il ?

— Sais pas, gémit Stevens, la bouche en sang.

Le coup de la serviette mouillée avait marché, et ils avaient perdu le fugitif. Cette pensée consola Stevens. Il ne donnerait pas son ami.

Richter pesa de tout son poids sur la main de Stevens.

— Tu peux nous le dire, Stevens, dit Richter. Nous sommes du même bord.

— Appelez Cohaagen ; il doit en savoir plus que moi, répliqua Stevens.

Furieux, Richter pesa sur la cheville de Stevens appuyée sur le rebord du trottoir. Il y eut un craquement d'os.

— Allez, Stevens, parle !

Soudain Helm tira sur la manche de Richter, pointant son doigt en direction de la rue.

— C'est lui ! murmura Richter en repérant Quaid, qui passait devant une station de taxis. Il avait la tête entourée d'un linge blanc et tenait un petit sac à la main. Richter eut un sourire mauvais. La trousse ! Pas besoin de chercher loin qui la lui avait remise.

Helm avait déjà détalé, l'arme à la main. Richter se courba pour taper sur l'épaule de Stevens. Celui-ci leva les yeux et vit le canon du pistolet pointé sur lui.

La détonation retentit dans la nuit.

12

TAXI-TAXI

QUAID avait la trousse, mais il ne savait toujours pas où aller. Il espérait seulement que le sac contenait de quoi lui être utile, quoi que ce fût. L'objet lui semblait représenter le dernier fil retenant sa vie.

Soudain il entendit un bruit qu'il commençait à trop bien connaître : un coup de feu. Il se tourna dans la direction d'où il lui semblait être parti et vit deux hommes accourir vers lui. Ils étaient trop loin pour qu'il les reconnaisse, mais il n'attendit pas qu'ils se présentent. Il s'engouffra dans un Taxi-taxi et se tassa sur le siège arrière.

Le mannequin se tourna vers lui.

— Bienvenue chez Taxi-taxi. Où dois-je vous conduire ?

— Contentez-vous de démarrer ! Et vite !

— Voulez-vous répéter votre destination, s'il vous plaît ? demanda l'automate de la même voix enjouée.

Quaid risqua un regard par la lunette arrière. Les deux hommes étaient maintenant assez proches pour qu'il reconnaisse les deux agents qui l'avaient traqué dans le métro.

— N'importe où ! cria-t-il. Mais démarrez tout de suite ! (Il vit Richter sortir une arme imposante.) Merde !

Le mannequin n'avait pas bougé.

— Je ne connais pas cette adresse, dit-il.

Helm aussi avait dégainé un énorme pistolet-mitrailleur. Les deux hommes étaient encore loin, mais avec des armes pareilles, ils devaient pouvoir atteindre la lune.

— Chez McDonald's !

— Il y a quatorze McDonald's en ville. Veuillez être plus pré...

Quaid n'attendit pas la fin de la phrase. Se saisissant du robot, il l'arracha à son siège, emportant le volant avec, le tira sur la banquette arrière. Les vitres commencèrent à voler en éclats sous les balles. Quaid se glissa sur le siège avant et actionna le levier de vitesse monté sur l'arbre de direction. La voiture fit un bond en avant. Quaid enfonça l'accélérateur, mais comment conduire sans volant ? Une rafale déchiqueta un pneu, et le taxi fit un tour sur lui-même et repartit tout droit... en direction d'un mur !

— Préparez-vous à une collision ! dit l'automate dans son dos. Préparez-vous à une collision.

Quaid tenta de freiner, mais toutes les fonctions du véhicule semblaient bloquées. Quaid n'avait qu'une solution : il ouvrit la portière et se prépara à sauter.

Puis il se souvint de la trousse ! Il tendit la main derrière lui et ramassa le sac sur la banquette.

— Choc imminent, annonça l'automate, le visage souriant.

Quaid sauta. Cela aussi, son corps savait le faire. Il roula plusieurs fois sur lui-même, tel un cascadeur chevronné, serrant le sac contre sa poitrine, tandis que le taxi s'écrasait contre le mur et explosait en flammes.

Quaid était sauf une fois encore. Mais Richter serait de nouveau sur ses talons quand il découvrirait que la voiture était vide. Quaid s'enfonça dans l'ombre d'une ruelle. Il disposerait d'une bonne avance, le temps qu'arrivent les pompiers et qu'on puisse constater la mort d'un... automate !

Il pleuvait toujours, mais ce ne serait pas suffisant pour éteindre le feu.

Richter et Helm restèrent là, à contempler l'incendie, tandis qu'au loin gémissait la sirène d'une voiture de pompiers. Helm voulu se remettre en marche, mais Richter le retint.

— Attends, dit-il en lui offrant une cigarette. J'aime la viande bien cuite.

Les deux hommes allumèrent leurs cigarettes et attendirent. Après tout, plus rien ne pressait.

Pendant ce temps, Quaid franchissait une clôture et se faufilait entre deux bâtiments de brique. Une zone industrielle commençait là, et il espéra y trouver un lieu isolé, où il pourrait examiner le contenu du sac. Il redressa son turban trempé de pluie, heureux de ne pas l'avoir perdu en sautant de la voiture.

Helm avait demandé par la radio de bord le renfort de quatre agents, et les six hommes observaient maintenant les pompiers étouffer les dernières flammes.

L'un d'eux se détacha de l'épave fumante.

— Personne, rapporta-t-il à Richter.

Richter et Helm échangèrent un regard médusé.

— Peut-être qu'il est parti en fumée, suggéra Helm.

Mais un autre pompier les appela.

— Attendez ! Il y a quelque chose.

Richter et Helm s'approchèrent, tandis que l'homme tirait une forme calcinée du véhicule. C'étaient les restes du mannequin. La tête en partie fendue tressauta soudain.

— Bienvenue chez Taxi-taxi, articula la bouche miraculeusement préservée.

Quaid leur avait encore échappé. Furieux, Richter balança un coup de poing dans la tête de l'automate, lui démolissant la mâchoire. Il examina sa main en grimaçant de douleur. Cette saloperie de robot était encore brûlante.

Un agent accourut vers lui.

— Nous avons repéré le signal dans la zone industrielle, annonça-t-il. La réception est faible, mais ce ne peut être que lui.

— Allons-y ! grogna Richter.

13

HAUSER

QUAID parcourait le complexe industriel à la recherche d'une cachette. De nombreuses fabriques avaient fermé leurs portes depuis la guerre avec le Bloc du Sud, les banques et les gros spéculateurs préférant investir dans les industries d'armement plutôt que dans les biens de consommation ordinaires. Seuls les fabricants de produits de luxe prospéraient. Aujourd'hui comme avant, les riches devenaient plus riches, et les pauvres... plus pauvres. La robotisation dans tous les secteurs industriels avait entraîné un chômage croissant, et la difficulté de trouver des emplois expliquait l'immigration massive sur Mars, où les mines de turbinium étaient demandeuses de main-d'œuvre.

Quaid repéra ce qu'il cherchait : un entrepôt abandonné, promis à la démolition. La bâtisse était vaste, et il y trouverait sûrement une bonne cachette.

Il se glissa à l'intérieur par une fenêtre. Le lieu était en ruine. Le toit criblé de trous laissait entrer la pluie, qui formait de larges flaques sur le sol. Idéal !

Il ne perdit pas de temps. Il posa la trousse sur un établi métallique rongé par la rouille et l'ouvrit, impatient d'en découvrir le contenu, espérant que celui-ci lui révélerait peut-être sa véritable identité.

Il y avait plusieurs liasses de billets de banque martiens. Il siffla en feuilletant du pouce les coupures rouges. La monnaie martienne ayant cours sur Terre, il y avait là de quoi couvrir largement toutes les dépenses qu'il pourrait faire. Mais, pour le moment, ce n'était pas ce dont il avait le plus besoin.

La suite s'avéra plus intéressante. Il y avait deux cartes d'identité. La première, au nom d'un certain Brubaker, présentait une photo qui était... la sienne. Brubaker était-il son vrai nom ? Etait-ce ce Brubaker que traquaient les sbires de l'Agence ? La photo de la seconde carte d'identité était celle d'une énorme femme, au triple menton, d'âge incertain. Il considéra longuement ce visage, cherchant en vain à le situer. Une parente ? Sa mère ? Une fiancée ? Non, décidément cette femme ne lui rappelait personne qu'il eût pu connaître. Déçu, il poursuivit l'inventaire de la trousse.

Il trouva un petit instrument de chirurgie emballé sous vide dans un épais plastique. Il ne voyait pas à quoi il pouvait servir.

L'article suivant était un étrange masque de caoutchouc, auquel était incorporé un appareil électronique commandant l'articulation de la bouche. Le masque correspondait à la photo de la grosse femme. Il s'agissait donc d'un déguisement, avec carte d'identité. Sous le masque se trouvait un long ruban gonflable en plastique, qui devait faire partie de la transformation. Quaid eut du mal à s'imaginer en matrone.

Il continua sa fouille, et sortit un paquet de barres de chocolat fourré au caramel, qui lui rappelèrent qu'il avait faim. Mais étaient-elles encore comestibles ?

Suivirent une paire de guêtres bizarres et une montre-bracelet munie d'un cadran électronique. Il l'examina de près, pressa l'un des boutons.

Soudain il sursauta. Un homme à l'aspect inquiétant venait d'apparaître dans la pénombre à moins de vingt pas de lui.

D'instinct, Quaid dégaina son pistolet et fit feu. Mais l'autre, aussi rapide que lui, fit également usage de son arme.

Lequel des deux allait tomber ? Quaid ne ressentait aucune douleur mais cela ne voulait rien dire. Son adversaire ne semblait pas touché, lui non plus. Ils restèrent un instant à se tenir en joue l'un l'autre. Puis Quaid fit un pas en avant, simultanément imité par l'homme. Un rai de lumière révéla qu'il portait un curieux turban sur la tête.

Quaid en resta bouche bée. Celui qu'il avait pris pour un ennemi n'était qu'une image holographique de lui-même.

Il avança vers l'hologramme, qui, bien sûr, avança vers lui. Quaid leva un bras, l'autre en fit autant. Quaid feinta soudainement, comme pour porter un coup, et ce fut comme s'il s'était trouvé devant un miroir.

La montre ! Il avait pressé un bouton, et l'hologramme était apparu. Il enfonça de nouveau le même bouton. Son double disparut comme par enchantement.

Fameux gadget, ça ! pensa-t-il. Si Richter surgissait... il risquait de tomber sur un fantôme ! Quaid mit la montre à son poignet en prenant soin de ne pas toucher au bouton.

Helm conduisait lentement, promenant le faisceau du phare monté sur le toit du véhicule sur les bâtiments désertés de la zone industrielle. Ils n'avaient pour le moment rien décelé.

Les quatre autres agents maraudaient de même avec deux voitures à quelques rues de là.

— Pas de signe de lui ? demanda Richter par la radio de bord.

— J'ai entendu un coup de feu du côté de l'entrepôt Toyota, rapporta l'un d'eux.

— Rendez-vous là-bas ! ordonna Richter, décidé à ne laisser passer aucune chance de coincer Quaid.

Quaid écarta d'un coup de pied un rat qui tentait d'emporter une barre de chocolat. Les rats avaient un odorat extraordinaire, et ils avaient depuis longtemps appris à déceler tout poison. Quaid en déduisit qu'il pourrait se restaurer sans crainte.

Il y avait un autre objet dans la trousse : un minuscule

poste à vidéo-disque. Un disque était inséré dans le lecteur situé sous l'écran. Quaid tourna le bouton d'allumage. Il allait peut-être enfin avoir les informations dont il avait besoin.

Son propre visage, sans le turban, apparut sur l'écran.

« Salut, étranger, s'adressa son double face à la caméra. Je m'appelle Hauser. Si les choses se sont mal passées, c'est à moi-même que je parle, et j'ai sans doute une serviette mouillée sur la tête. »

Quaid ne put s'empêcher de porter la main à son turban.

Hauser partit d'un rire joyeux. Il semblait très sûr de lui. Quaid, fasciné, mordit dans une barre de chocolat.

« Quel que soit le nom qu'on t'a donné, continua Hauser, prépare-toi à une grande surprise : tu n'es pas celui que tu crois. Tu es moi. »

Quaid, médusé, cessa de mastiquer pendant un instant.

La voiture de Richter arriva en même temps que les deux autres devant les grilles d'un vaste entrepôt ayant appartenu aux usines Toyota. Richter consulta le détecteur. Un faible point lumineux clignota sur l'écran.

— On le tient ! grogna-t-il de plaisir.

Quaid continuait d'écouter Hauser, son double, qui commençait d'éclairer enfin sa lanterne.

« J'ai travaillé toute ma vie pour l'antenne martienne de l'Agence. Autrement dit, j'ai fait la basse besogne de Cohaagen. Puis, il y a quelques semaines, j'ai rencontré quelqu'un... une femme. Et j'ai appris deux ou trois choses. Et surtout que le parti que j'avais choisi n'était pas le bon. (Hauser soupira d'un air peiné.) Le moins que je puisse faire, maintenant, c'est d'essayer de me racheter. »

Quaid jeta un bout de chocolat à un rat. C'était idiot, mais il éprouvait de la sympathie pour toute créature contrainte par la haine des hommes à se terrer quelque part.

Hauser se tapota le crâne.

« Il y a assez là-dedans pour noyer Cohaagen dans sa propre merde, et c'est bien dans mon intention. Hélas, si tu es en train de m'écouter, c'est donc qu'il m'a eu le premier. Alors, mon vieux, c'est maintenant à toi de jouer. »

Quaid ne trouvait pas cette perspective réjouissante. Si le dénommé Hauser savait ce par quoi il venait de passer en moins de vingt-quatre heures, et qu'il semblait considérer ça comme de la routine, que lui réserverait la suite !

« Désolé de t'entraîner là-dedans, ajouta Hauser, mais tu es le seul en qui j'aie confiance. »

Richter entraîna Helm et les autres agents à l'intérieur du bâtiment. Il lui tardait tellement de mettre la main sur Quaid ! Il avait envie de l'entendre hurler avant de crever. Et cette fois, il n'y avait ni métro ni ascenseurs ni rien pour l'aider dans sa fuite.

Deux rats revinrent, quémandeurs furtifs. Les nouvelles circulaient vite chez eux. Ça fit sourire Quaid. Il lança à chacun un bout de barre fourrée.

« Commençons par le commencement, disait Hauser sur l'écran. Débarrasse-toi de la puce émettrice qu'ils t'ont implantée là... Il se tapota le front, entre les deux yeux... Prends le petit instrument chirurgical que tu auras trouvé dans la trousse... Il souleva un sac identique à celui de Quaid... Et enfonce-le-toi dans le nez. »

Dans le nez ? Quelle joie ! Mais c'était toujours mieux que de prendre une balle dans la tête.

Il déchira la protection de plastique et examina l'instrument, espèce de fine tentacule métallique d'extraterrestre. Il actionna une pression le long du manche, et il en jaillit une tige munie à son extrémité d'une pince minuscule. Enfoncer ça dans ses narines ?

« Ne t'inquiète pas, c'est autoguidé, le rassura Hauser. Mais pousse fort jusqu'aux sinus. »

Il hésita une seconde, et puis se résigna. Il introduisit

la tige à l'intérieur d'une de ses narines et poussa. La douleur le fit grimacer. Et l'idée qu'il poussait cette saleté tout droit vers son cerveau lui donnait des sueurs froides.

« Et fais bien attention, dit Hauser. C'est aussi ma tête. »

Quaid continua de pousser et, de fait, la tige semblait savoir où elle allait. Il n'y avait qu'à lui donner l'impulsion.

Richter et ses hommes se dispersèrent dans l'entrepôt. Ils avançaient sans bruit, mais les pigeons et les rats fuyaient à leur approche. Richter espéra qu'ils n'alerteraient pas sa proie. Il tenait à l'avoir par surprise. Il y avait déjà eu assez de casse comme ça !

Quaid avait envie de hurler de douleur, tandis qu'il poussait toujours plus profond l'instrument. Il perçut un craquement de cartilage.

« Quand tu entendras le craquement, tu seras arrivé », dit Hauser.

Quaid s'adossa contre le mur, la tige toujours enfouie dans sa narine. Il était crucifié par la douleur. Et Hauser qui continuait de parler !

« Voici le plan. Tu vas filer sur Mars et prendre une chambre à l'Hilton. Sous l'identité de Brubaker. Tu as dû trouver la carte dans la trousse. Fais soigneusement ce que je te dis, et nous rendrons la monnaie de sa pièce à ce fumier de Cohaagen ! » Hauser prit un ton plus doux. « Je compte sur toi, vieux. Ne me laisse pas tomber. »

L'écran s'éteignit de lui-même, et Quaid demeura dans la pénombre, autant sonné par ce qu'il venait d'apprendre que par la douleur.

Il avait enfin appris quelque chose. Il était, ou avait été Hauser, un agent secret en mission sur Mars, passé du côté des opposants. Ses anciens compagnons étaient donc à présent ses ennemis.

Pourquoi ne l'avaient-ils pas déjà abattu comme on le fait d'un traître ? Il avait encore pas mal de choses à découvrir. Il savait au moins où il trouverait les réponses aux questions qu'il se posait. Il retira la tige extractrice de sa narine. Entre les dents de la minuscule pince brillait la puce émettrice, pas plus grosse qu'un grain de blé. Il pensa d'abord à la jeter, mais il lui vint une meilleure idée.

Il y avait maintenant une bonne douzaine de rats, candidats à la distribution de chocolat. « Faites la queue, mes petits, murmura-t-il aux bestioles, en brisant une nouvelle barre au caramel. Je veux que vous ayez tous votre part. »

Bip ! Bip ! Un point rouge brillant clignota soudain sur l'écran du détecteur. « On le tient ! » s'exclama Richter. Il entraîna ses hommes au pas de course.

Quaid remballait le contenu de la trousse. Il allait y ranger le vidéo-disque quand les faisceaux de plusieurs torches trouèrent la pénombre. Il abandonna le petit appareil et bondit derrière un tas de ferraille, tandis que les balles commençaient à siffler dans toutes les directions. Sans un bruit, Quaid sauta par une fenêtre aux persiennes arrachées et s'en fut à toutes jambes dans la nuit.

Richter prit dans le faisceau de sa lampe un rat terrifié, un morceau de barre au chocolat dans la bouche. Le détecteur désignait la bête avec persistance.

Et Richter comprit que ce fumier de Quaid les avait encore floués. Il avait donné la puce enrobée de chocolat à manger à ce sale rongeur.

Furieux, il pulvérisa le rat d'une rafale de son pistolet-mitrailleur.

Helm avait ramassé un de ces vidéo-disques miniaturisés. L'appareil avait été touché par une balle, mais le son fonctionnait encore. Il ne restait pas grand-chose de la disquette, mais c'était suffisant pour reconnaître la voix de Hauser, répétant sans cesse comme un disque rayé : « ... Dépêche-toi de filer sur Mars. Dépêche-toi de filer... »

14

VAISSEAU

HELM conduisait. Richter, l'humeur plus sombre que jamais, se résigna à enregistrer son rapport sur le vidéophone.

« La situation se présente mal, commença-t-il, regardant son image à l'écran. Il se souvient de toutes les techniques de combat, et il a reçu de l'aide de Stevens, et de je ne sais qui encore. J'ai placé tous les aéroports en état d'alerte, mais s'il ne réapparaît pas dans les heures suivantes, je prendrai la première navette pour Mars, et je l'attendrai là-bas. »

Il repassa son message, éjecta le disque puis, se tournant vers l'agent assis à l'arrière, le lui tendit.

— Vous transmettrez ça à Cohaagen, mais pas avant que j'aie décollé pour Mars.

L'homme se contenta d'acquiescer, se gardant de demander la raison de ce délai. On ne discutait pas un ordre de Richter.

Richter s'était juré d'avoir Quaid et d'éliminer quiconque voudrait l'en empêcher, fût-ce Cohaagen lui-même.

Le lendemain Richter attendait dans le bar désert de la navette que le service de sécurité revienne de son inspection. Les réacteurs de la navette vrombissaient, prêts au décollage.

— Nous avons regardé partout, rapporta l'un des

hommes en arrivant au bar. La soute à bagages, la cuisine...

— Le quartier du personnel, ajouta l'autre.

— La salle des moteurs ? demanda Richter.

Les deux gardes de la sécurité se regardèrent. Manifestement, ils avaient oublié de le faire.

— J'y vais, dit Helm en se dirigeant vers une coursive.

Richter quitta le bar pour se rendre dans la section des cabines. Certains passagers préféraient passer tout le voyage à dormir dans ces confortables cellules. D'autres ne quittaient pas le salon de toute la traversée, à consommer, bavarder avec les autres passagers et admirer la vue extraordinaire des planètes suspendues dans l'espace invisible. Les portes des cabines étaient munies de hublots, et fort heureusement leurs occupants n'avaient pas encore tiré les rideaux.

Soudain le commandant de bord surgit du poste de pilotage et apostropha Richter.

— Vous n'allez pas remettre ça ! La sécurité est déjà passée deux fois ici !

Richter l'ignora et continua son inspection des cabines, examinant chaque passager par le hublot, n'hésitant pas à ouvrir la porte quand le rideau était tiré. Les gens ainsi surpris ouvraient de grands yeux, mais aucun d'eux n'était Quaid.

— Nous avons déjà deux heures de retard ! protesta le commandant.

Comme Richter ne daignait pas lui répondre, il gagna un interphone mural et donna tranquillement ses ordres.

— Activez les moteurs. Nous partons.

Richter continua sa fouille. Une énorme femme s'avançait dans l'étroit passage. Le commandant dut se coller contre la paroi pour la laisser passer. Sa corpulence et sa taille auraient pu la dispenser de porter des chaussures à talons hauts. Elle dominait tout le monde.

— Pardon, madame, lui dit-il au passage, mais vous devez regagner votre cabine.

— Où est ma cabine ? demanda d'une voix fluette la géante en lui présentant sa carte d'embarquement.

— Numéro dix-neuf. C'est un peu plus loin dans ce couloir-ci.

Les moteurs vrombirent de plus belle, et la navette se mit à vibrer. Richter ressortit d'une cabine, bousculant la grosse femme au passage.

— Qu'est-ce qui se passe ? demanda-t-il rudement.

— J'ai donné l'ordre de décoller, répliqua le commandant.

— Vous décollerez quand je vous le dirai ! grogna Richter. La sécurité passe avant les horaires.

— Vraiment ? Il faudra que je me replonge dans le règlement. Maintenant, je vous conseille de regagner vos places, si vous ne voulez pas souffrir de l'accélération.

Richter jeta un regard furieux au commandant, et il était sur le point de répliquer, quand Helm arriva.

— Rien dans la salle des machines, rapporta-t-il.

Le commandant retint une hôtesse qui passait.

— Charlotte, conduisez ces messieurs à leurs places, s'il vous plaît. Puis il tourna les talons et se dirigea vers la cabine de pilotage.

Richter se résigna, la mort dans l'âme, à suivre l'hôtesse.

Comme le commandant regagnait l'avant, il passa devant l'énorme femme qui n'avait pas encore fini de rentrer tous ses sacs dans la cabine.

— Où est ma cabine ? demanda-t-elle.

— Mais vous y êtes, madame, répondit le commandant. Vous y êtes.

Il reprit son chemin en secouant la tête.

Richter jeta un regard derrière lui, content que le commandant ait aussi ses petits problèmes.

Charlotte les installa en gardant un sourire tout professionnel.

Que pouvait faire une hôtesse pendant les longues heures du vol ? Elle pourrait lui être utile. Au service des passagers, elle était bien placée pour remarquer tout fait inhabituel. Elle accepterait sûrement de le lui rapporter.

— Merci, mademoiselle, dit-il, une fois qu'elle se fut assurée de leur confort, à Helm et à lui. M'accorderiez-vous un rendez-vous au bar, un peu plus tard ? demanda-t-il avec un sourire qui se voulait charmant, mais qui hurlait la fausseté.

Le sourire de l'hôtesse se figea, comme si elle venait de découvrir une grosse araignée sur son chemisier.

— Il ne saurait en être question, monsieur, répondit-elle avant de tourner les talons.

Une fois dans sa cabine, la grosse dame s'empressa de verrouiller la porte et de tirer le rideau du hublot. « Où est ma cabine ? » demanda-t-elle, alors qu'elle était toute seule.

Elle porta les mains à ses oreilles et tira dessus. Toute la peau de son visage se décolla, emportant avec elle bajoues et triple menton et révélant le visage de Douglas Quaid.

— Où est ma cabine ? demanda le masque. Où est ma cabine ?

Quaid le pressa, le froissa dans ses mains, mais la voix fluette refusa de se taire.

— Où est ma cabine ? continua-t-elle de répéter.

Irrité, Quaid jeta le masque contre la paroi. Un silence tomba. Quaid se détendit. Quelques secondes passèrent, puis du masque sortit un « Merci » aigu.

Quaid sourit. Après tout, son déguisement avait été une réussite.

Il ne se défit pas de sa robe ni des bandes gonflables de plastique qui transformaient son corps d'athlète en femme obèse. Il avait l'intention de dormir pendant tout le trajet, et il prendrait la précaution de remettre le masque dès qu'ils auraient quitté le sol.

Tandis qu'il se laissait aller sur sa couchette inclinée, il contempla le gadget le plus remarquable que contenait la trousse. Ses bottes étaient recouvertes de fins et souples hologrammes qui donnaient l'illusion qu'il portait des talons hauts, alors qu'il avait les pieds bien à plat sur le sol.

Comprenant qu'il avait besoin d'une arme, il s'était arrêté dans l'une de ces boutiques pratiquant le marché noir, et il avait acheté un pistolet fait entièrement dans un plastique aussi dur que du métal et indétectable aux rayons. Ces armes étaient depuis longtemps interdites, mais il suffisait de mettre le prix pour en avoir. Celui qu'il avait choisi avait l'avantage de se démonter en divers objets ayant chacun leur utilité : les boutons de sa robe, les peignes plantés dans sa perruque, le fermoir de son sac à main... Le remonter prenait un certain temps, mais il pouvait lui sauver la vie.

Il pourrait d'ailleurs le faire après le décollage. Il le dissimulerait dans son sac. Avant d'arriver sur Mars, il se contenterait d'en démonter une partie et de glisser les morceaux dans ses bottes. Les détecteurs de l'aéroport de Mars étaient de vieux modèles très peu sensibles.

La navette vibra soudain fortement, et il boucla sa ceinture, tandis que l'appareil s'élevait à la verticale, prenant rapidement une vitesse folle. Plaqué sur sa couchette, Quaid s'efforça de se détendre. Il serait bientôt sur Mars, où il devrait accomplir une mission qui tenait du suicide. Neutraliser Cohaagen ! Si jamais il y parvenait, il pourrait ensuite se mettre en quête de cette femme qui avait hanté son sommeil. Il ne doutait pas une seule seconde de son existence réelle. Il se rappela ce rêve où il chutait dans un puits. Il ne savait pourquoi, mais il aurait juré que c'était là, au fond de ce puits, que se trouvait la clé de toute cette énigme.

Il ne tarda pas à s'endormir, accroché à l'espoir qu'il retrouverait sa véritable identité.

15

AÉROPORT

DANS le grand hall d'accueil de l'aéroport, les voyageurs faisaient la queue devant les trois guichets d'entrée, chacun tenu par un seul contrôleur. Richter jeta un regard autour de lui. Au-dessus de la porte principale, trônait un grand portrait de Cohaagen. Des soldats patrouillaient dans le vaste hall. L'atmosphère semblait être à la tension et à la suspicion.

Il aperçut l'énorme femme dans l'une des files. Elle était derrière une jeune mère portant un bébé dans ses bras. Richter eut une grimace de dégoût. Dieu merci, Lori n'avait jamais pris un seul kilo depuis qu'ils se connaissaient.

Deux soldats se présentèrent à Richter et Helm, les invitant courtoisement à les suivre jusqu'à l'un des guichets, où les attendaient deux agents en civil qui les accueillirent avec tous les égards dus à d'importantes personnalités.

— Bienvenue sur Mars, Mr Richter, dit l'un d'eux. Mr Cohaagen vous attend.

Richter passa devant eux sans même leur rendre leurs saluts.

— Qu'est-ce que c'est, ça ?

Il désigna un slogan hâtivement peint à la bombe sur le mur : KUATO EXISTE, et qu'un employé du nettoiement entreprenait d'effacer.

— La situation s'est aggravée, répondit l'agent. Les

rebelles ont pris la raffinerie, la nuit dernière. La production de turbinium est paralysée.

— Des nouvelles de Hauser? demanda-t-il, peu désireux d'en entendre davantage sur les succès du Front de Libération.

— Non, pas une.

Décidément, tout allait de travers, songea-t-il. Il jeta un regard d'envie à ces touristes insouciants qui faisaient patiemment la queue. Le bébé, penché sur l'épaule de sa mère, jouait avec les cheveux de la grosse dame. Puis il tendit sa petite main vers le visage bouffi, et lui pinça la joue.

— Où est ma cabine? demanda la femme de sa voix aigrelette.

Troublé, Richter la regarda avec plus d'attention. Ne savait-elle rien dire d'autre?

La grosse femme ouvrit grand la bouche, feignant la stupeur, ce qui eut pour effet de faire éclater de rire le bébé.

Oh! c'était pour amuser l'enfant. Richter se remit en marche.

— Où est ma cabine? demanda de nouveau la grosse.

Richter s'arrêta et se retourna, pris d'un vague soupçon.

La dame avait pris une expression comique de désarroi, et continuait de répéter « Où est ma cabine? », comme si cela échappait à sa volonté, provoquant les rires redoublés du bébé. Des têtes se tournaient vers elle d'un air curieux et amusé à la fois. Folle mais pas dangereuse, devaient-ils se dire.

Puis la femme tourna son épais visage dans la direction de Richter. Leurs regards se rencontrèrent.

Maintenant, il savait!

— C'est Quaid! cria-t-il. Arrêtez-le!

La grosse femme abandonna la file et prit ses jambes à son cou avec une célérité stupéfiante pour son poids. Tout en courant, elle arracha la peau de son visage, à la stupeur horrifiée des soldats, qui s'écartèrent en désordre au passage de cette furie atteinte de quelque horrible maladie.

Richter avait sorti son arme, mais la foule des passagers l'empêchait de viser.

Quaid s'engouffra dans un couloir, poursuivi par six soldats, suivis eux-mêmes de près par Richter et Helm.

Un peu plus loin devant Quaid, à l'intersection avec un autre couloir, une grande baie vitrée donnait sur le paysage désertique de Mars. Quaid n'avait d'autre solution que de tourner dans ce nouveau couloir, mais un jeune soldat tenta de lui barrer la route. Quaid lui lança le masque de caoutchouc. Instinctivement, le soldat l'attrapa au vol. « Préparez-vous à une grosse surprise », ricana le masque.

Le soldat resta bouche bée, et le masque explosa.

L'explosion brisa la vitre, dont les fragments furent projetés à l'extérieur sous l'air pressurisé régnant à l'intérieur de l'aéroport. Il s'ensuivit une véritable tornade, et chacun s'agrippa à ce qui lui tombait sous la main pour ne pas être aspiré dehors.

Le con ! pensa Richter. Il vit Quaid se saisir de la rampe d'un escalier descendant vers une sortie. Ritcher lui fit confiance pour ne pas lâcher prise !

Ce ne fut pas le cas d'un soldat proche de l'ouverture. Il fut aspiré comme une plume. Les vêtements de Quaid lui furent arrachés les uns après les autres, et il ne lui resta plus que la chemise à manches courtes et le pantalon qu'il portait en dessous de son déguisement, ainsi que ces ridicules chaussures à talons hauts. Et ce salaud n'avait pas non plus lâché son sac !

Un contrôleur parvint à déclencher le système de sécurité. Des cloisons métalliques commencèrent à s'abaisser, fermant toutes les ouvertures du vaste hall.

Richter en éprouva un vif soulagement. Dans quelques secondes, Quaid serait à leur merci, coincé comme un rat.

Quaid vit la cloison de sécurité s'abaisser lentement derrière lui. Il n'y avait pas à hésiter. Il se hala à contrevent, parvint à saisir d'une main le bas de la cloison qui n'était plus qu'à une trentaine de centimètres du sol, et il se glissa dessous.

L'instant d'après, la cloison se refermait dans un claquement métallique.

Non ! Richter était déchiré entre la rage et le désespoir qui commençait à s'emparer de lui. Le phénomène d'aspiration cessa brusquement, et le hall s'emplit des cris des passagers, qui retrouvaient enfin le souffle.

Richter courut à la cloison fermant l'accès à l'escalier.

— Ouvrez-moi ça ! hurla-t-il.

— C'est impossible, intervint un jeune soldat. Toutes les fermetures de sécurité sont reliées entre elles.

Frustré, furieux, Richter le gifla durement d'un revers de sa main armée.

16

VÉNUSVILLE

L'ANTIQUE et bruyante rame de métro, rebut probable des trains du XXe siècle, quitta la station et s'engagea dans la gueule noire d'un tunnel. Quaid jeta un regard rapide autour de lui. Son pantalon et sa chemise étaient plus froissés que s'il avait dormi avec, et il serrait la trousse sous son bras, comme il l'eût fait d'un simple paquet. Mais personne ne lui prêtait attention. Les gens de Mars bavardaient entre eux, et il put surprendre quelques bouts de conversations.

— Pendant ton absence, dit un Martien, Cohaagen a augmenté le prix de l'air.

— Encore ? s'étonna son compagnon. C'est la troisième augmentation en moins de deux mois !

— Ouais, et les salaires, eux, n'ont pas bougé.

Une femme demanda à voix basse :

— Vous êtes passés devant la maison des Hamilton ?

— Oui, mais il n'y avait pas de lumière hier au soir.

— Ça fait trois nuits qu'il n'y a pas de lumière chez eux.

— Partis en voyage ?

— Façon de parler, dit la femme avec un sourire entendu. (Elle baissa un peu plus la voix, et Quaid dut faire un effort pour l'entendre.) Nous verrons combien de temps le gouverneur pourra tenir, une fois que tous les travailleurs seront « partis en voyage ».

Quaid suivit le regard de la femme. Des affiches

étaient placardées sur les parois du compartiment. Une énorme prime serait payée à quiconque livrerait le mystérieux chef des rebelles, Kuato. Le nom se détachait en capitales, mais il n'y avait point de photo.

L'esprit de rébellion qui semblait souffler partout sur Mars, et même parmi ces voyageurs appartenant à la classe moyenne, était une surprise pour Quaid. Jamais les informations, sur Terre, ne mentionnaient l'importance prise par la résistance à Cohaagen.

Une lumière rouge inonda soudain le compartiment, quand le train déboucha du tunnel. Le paysage désertique de Mars s'étendait à perte de vue. Une vive émotion s'empara de Quaid à la vue de cette montagne à la forme pyramidale. Celle de son rêve ! On apercevait une installation minière au bas de l'un des versants.

Il ne put s'empêcher de demander à son voisin :

— Excusez-moi, c'est quoi, cette montagne ?

— La Mine de la Pyramide, répondit l'autre, étonné du grand intérêt que l'étranger semblait y porter. J'ai travaillé là-bas, jusqu'à ce qu'ils découvrent tous ces vestiges d'extraterrestres. Maintenant, la mine est fermée.

Des vestiges d'extraterrestres ? Il était déjà allé là-bas, et son rêve n'était qu'une réminiscence de ce passé qui était le sien et que peu à peu, comme les pièces d'un puzzle, il reconstituait.

— On peut la visiter ? demanda-t-il.

— Oh non ! s'exclama l'autre. Il est interdit de s'en approcher à moins de dix kilomètres.

La mine recelait donc un secret jalousement gardé. Il ne savait pas encore comment il y accéderait, mais il tenterait l'impossible pour y aller, pour faire la lumière sur sa vie antérieure, et pour retrouver la femme de son rêve.

La Mine de la Pyramide était tout aussi impressionnante, vue du couloir aux parois de verre qui menait au bureau de Cohaagen. Richter contempla le complexe minier en regrettant de ne pas en être le maître. Il poussa la porte du bureau. Cohaagen, assis dans un fauteuil recouvert de peau de grenouille, lui tournait le dos.

— Vous m'avez demandé, Mr Cohaagen, dit Richter.

Cohaagen fit pivoter son siège.

— Ritcher, dit-il, savez-vous pourquoi je suis tellement heureux ?

— Non, monsieur, répondit Richter, affectant un ton respectueux.

— Parce que j'ai travaillé pour ça, dit calmement Cohaagen. Aussi longtemps que nous exploiterons le turbinium, je pourrai faire ce que bon me semblera. Voyez-vous, je ne changerais pas ma place pour celle du président de l'Alliance. Hélas, poursuivit-il, en se penchant en avant, les mains sur son bureau, je ne connais pas de bonheur qui ne soit un jour menacé. En ce qui me concerne, si les rebelles triomphaient, tous mes efforts auraient été vains.

Soudain Cohaagen explosa de rage. Il donna du poing sur son bureau, faisant sauter le petit aquarium décorant l'un des coins.

— Et si jamais cette catastrophe se produisait, vous en seriez l'un des artisans ! Vous avez désobéi à mes ordres ! Et vous n'avez même pas été capable de le capturer !

Richter ne broncha pas. Cohaagen ne pourrait jamais prouver que sa communication avait été volontairement brouillée.

— Il a reçu de l'aide, dit Richter. Et venant de notre côté.

— Je sais, dit Cohaagen d'un ton d'impatience.

— Mais je pensais...

Richter ne put cacher son étonnement.

— Qui vous a demandé de penser ? aboya Cohaagen. Vous êtes là pour faire ce qu'on vous demande. Rien d'autre !

Se recomposant un visage calme, il sortit une petite boîte d'un tiroir et, y puisant une pincée de flocons pour poissons, la versa en pluie dans l'aquarium.

— Maintenant, revenons à notre affaire, dit-il. Kuato veut les informations que Quaid détient sans le savoir, et il se peut qu'il y parvienne. La rumeur lui prête des pouvoirs psychiques. Mais j'ai un plan pour l'en empêcher. Puis-je compter sur votre collaboration, Richter ?

Richter aurait aimé enfoncer la tête de Cohaagen dans l'aquarium.

— Oui, monsieur, dit-il.

— Tant mieux ! s'exclama Cohaagen avec un grand sourire. Parce que, voyez-vous, j'étais prêt à me passer définitivement de vos services...

Quaid émergea de la bouche de métro. Il se trouvait dans le quartier de Chryse Planitia. Quartier d'affaires, quartier élégant, au-dessus duquel le gigantesque dôme géodésique était presque invisible tant sa surface était propre.

L'hôtel Hilton n'était qu'à quelques pas. Il jeta un regard prudent autour de lui et se mit en marche.

— Oh, Mr Brubaker. Content de vous revoir, l'accueillit l'employé à la réception.

Décidément, songea Quaid, Hauser, son double, avait bien préparé son plan.

— Moi aussi, je suis content de rentrer, répondit-il.

— Je vous donne votre chambre habituelle, dit l'homme en consultant l'écran de son ordinateur. Ah ! j'y pense, vous avez oublié quelque chose en partant la dernière fois. (L'employé se leva pour aller prendre une enveloppe dans l'une des cases réservées au courrier.) Voici, dit-il, en lui tendant la lettre. (Il consulta de nouveau l'écran.) Votre chambre a le numéro 280, dans l'aile bleue. Votre carte-clé sera prête dans une minute.

Quaid ouvrit l'enveloppe en attendant que l'employé ait fini de taper ses informations. Il y avait un simple message sur un prospectus publicitaire pour un bar : La Dernière Chance, à Vénusville. Un établissement très couru par les touristes. En dessous de l'illustration représentant une femme nue perchée sur un croissant de lune, était écrit à la main : « Si tu ne veux pas t'ennuyer, demande Melina. »

Quaid s'empara d'un stylo sur le comptoir, et écrivit « Melina » à côté du message. Les deux écritures étaient parfaitement identiques.

Melina était-elle la femme de ses rêves ? se demanda-t-il, le cœur battant.

Il lui fallait savoir, et tout de suite. Il était déjà arrivé à la sortie, quand le réceptionniste se détourna de sa console.

— Voici votre passe, Mr Bru...

Il s'interrompit net, cherchant des yeux son client. Mais Mr Brubaker avait disparu.

Une file de taxis stationnait devant l'hôtel. Quaid se dirigea vers eux. Un homme noir, en livrée de chauffeur à l'ancienne, l'aborda.

— Un taxi, monsieur ? Je m'appelle Benny, et j' connais cette ville comme ma poche.

Quaid fit un signe de tête en direction du taxi garé en tête de station.

— Pas lui ?

— Oh oui, mais il n'a pas six gosses à nourrir.

L'autre était un jeune type au crâne rasé surmonté d'une crête d'Iroquois. Pas vraiment séduisant. Il regarda Benny et hocha sèchement la tête.

— Ma voiture est un peu plus loin, dit Benny en l'invitant à le suivre.

Le punk s'aperçut qu'on lui piquait son tour.

— Hé ! protesta-t-il. Faut pas m' prendre pour... Il n'acheva pas sa phrase. A quoi bon gueuler ? Les deux autres étaient déjà loin.

Comme ils approchaient de la voiture, une violente explosion se produisit au niveau supérieur de la Mine de la Pyramide. Malgré la distance, le souffle fut si fort qu'il balaya la rue, brisant des vitrines, projetant Benny à terre, et Quaid eût subi le même sort sans un réflexe qui lui fit garder l'équilibre.

Benny se releva avec peine.

— Bienvenue sur Mars, dit-il.

Soudain des soldats surgirent, échangeant des tirs avec d'invisibles francs-tireurs rebelles. Benny souleva la portière en aile d'oiseau du taxi, et pressa Quaid de monter.

— Ne traînons pas, monsieur.

— Mais qu'est-ce qui se passe, ici ? demanda Quaid, alors que Benny démarrait sans tarder.

— Oh, toujours la même chose, répondit Benny, blasé. Le manque d'argent, de liberté... d'oxygène. (Il prit l'un des couloirs de circulation.) Où voulez-vous aller ? demanda-t-il.

— Vénusville.

Benny lui jeta un regard curieux.

— Mais vous y êtes, à Vénusville ! Enfin, disons le haut de la ville.

— Alors, allons du côté des bas-fonds, dit Quaid.

— Vous avez une préférence ?

— La Dernière Chance.

— Et vous avez raison, c'est la meilleure boîte du coin.

Il accéléra sur la voie libre.

Quaid avait enfin le temps d'enlever le revêtement holographique qui transformait ses solides bottes de travail en chaussures à talons. Il sortit les pièces de son pistolet qu'il y avait glissées, pour les mettre dans sa poche, avec les autres qu'il sortit de la trousse. Il n'avait plus besoin de celle-ci, à présent ; il s'en débarrasserait dans la première poubelle.

Ils pénétrèrent bientôt dans l'une des gigantesques voies tubulaires traversant la zone désertique qui séparait les deux sections de la ville.

— C'est la première fois que vous venez sur Mars ? demanda Benny d'un ton léger. Il avait remarqué le changement de chaussures, mais il avait appris dans son métier à être discret. Il y avait toujours des excentriques parmi les touristes.

Quaid contemplait le paysage martien par la fenêtre. Il avait le sentiment qu'il ne se lasserait jamais de la contemplation de ce chaos de roches, de ces colosses montagneux. Quelle étrangeté de se retrouver dans la réalité concrète, palpable de ces rêves nocturnes qui avaient si souvent agité son sommeil !

Mais dans ses songes, il n'y avait pas seulement le sol tourmenté de Mars, il y avait cette femme, vers qui tout son être était porté. Et il y avait enfin ce mystère pressenti, cette force prodigieuse et terrible qu'il découvrait...

La voix de Benny le tira de ses pensées.

— Euh, non, pas tout à fait, répondit-il, évasif.

— Quand on est déjà venu ici, on ne risque pas de l'oublier, dit Benny, comme à part soi.

Quaid ne releva pas la remarque. La perplexité du chauffeur de taxi lui paraissait légitime. Mais comment lui expliquer que c'était son double, un autre moi, ou encore lui-même mais avant qu'on altère sa personnalité, qui était allé sur Mars ?

La voie prise par Benny pénétrait au terme d'une gigantesque courbe dans les bas quartiers de la ville. Le contraste avec la haute ville, claire et opulente, était frappant, tragique. Ici, point de dôme translucide. Une chappe de béton, tellement basse à certains endroits qu'on pouvait la toucher en élevant les bras, s'étendait de tous côtés. Quaid frissonna. C'était comme de pénétrer dans les galeries d'une mine. Sur les murs lépreux, les affiches promettant une prime pour la capture de Kuato semblaient légitimer la rébellion. Comment ne pas se révolter quand on vivait dans des conditions aussi inhumaines ? songea Quaid. Soudain une idée lui traversa l'esprit à la vitesse de la lumière, ne laissant dans son sillage qu'une pensée aussi confuse que troublante : lui, Quaid, alias Hauser, savait comment libérer Mars ! La libérer de quoi ? La misère qu'il avait sous les yeux n'était guère différente de celle qui régnait en bien des endroits sur Terre.

Des soldats patrouillaient deux par deux, et l'hostilité qu'ils soulevaient à leur passage était palpable. Y avait-il un moyen de faire vivre toute cette population défavorisée sous de hauts dômes, dans une atmosphère pure ? Il secoua la tête. Tant que la vie humaine sur Mars dépendrait des dômes, ceux qui fabriquaient et contrôlaient ces derniers posséderaient un pouvoir absolu.

Devant eux, sur le trottoir, une femme marchait tenant un jeune enfant par la main.

— Pas mal, hein ? s'enquit Benny.

Quaid porta un regard appréciateur sur la silhouette parfaite. Taille fine, hanches harmonieuses, jambes longues, galbées.

Comme ils la dépassaient, il se retourna pour voir son visage.

Ce n'était qu'un masque horrible, et l'enfant était affligé de la même difformité.

— Quelle maladie a-t-elle ? demanda-t-il à Benny.

— La pauvreté, répondit Benny. L'oxygène manque ici, et la couche d'air n'est pas assez épaisse pour protéger des rayons solaires.

Quaid ne doutait pas que sur Mars, moins protégée que la Terre, le Soleil pouvait faire des ravages. Si seulement il pouvait y avoir un remède universel ! Mais il ne fallait pas rêver.

Le taxi s'arrêta devant la façade douteuse de La Dernière Chance.

— Vous êtes sûr de vouloir aller là-dedans ? Vous risquez de choper une maladie.

La mise en garde paraissait justifiée. Mais le message était clair. Il y avait dans ce bouge une certaine Melina, avec qui il devait prendre contact. Et c'était bien son intention.

Quaid se contenta de lui remettre le prix de sa course et un solide pourboire.

Pendant que Benny comptait sa monnaie d'un air réjoui, Quaid descendit de voiture.

— Hé, monsieur, l'appela Benny. Je vous attendrai. Prenez votre temps. Et je m'appelle Benny.

Quaid le salua de la main, puis il entra dans le bar nommé La Dernière Chance, avec l'espoir qu'il ne commettait pas une grosse erreur.

17

MELINA

La Dernière Chance n'était qu'un bordel crasseux, fréquenté par les mineurs. Les filles allaient et venaient, racolant les clients, qu'elles emmenaient à l'étage où se trouvaient les chambres.

Quaid s'installa au bar à côté de deux mineurs. Le barman, un grand costaud, vint prendre sa commande.

— Je voudrais voir Melina, dit Quaid.

Une lueur de soupçon s'alluma dans le regard de l'homme.

— Elle est occupée, mais Mary est libre.

Mary, qui flânait près du comptoir en chaloupant des hanches, s'approcha de Quaid.

— Libre, non, susurra-t-elle. Mais disponible, oui.

Il se tourna vers elle. C'était une belle plante, et non pas deux mais trois seins rebondis jaillissaient de son décolleté. De quoi satisfaire tous les amateurs de mamelles !

— Merci, dit-il, mais je préfère attendre Melina.

— Trou-du-cul de Terrien, lâcha-t-elle, et elle s'en fut proposer ailleurs ses talents.

Quaid reporta son attention sur le barman. Cette fois, il lui glissa dans la main un billet de banque.

L'homme se montra aussitôt plus coopératif.

— Le problème, c'est que Mel monte rarement avec des étrangers. Elle préfère garder les mêmes clients.

Si la dénommée Melina se permettait de choisir ses

michetons, elle ne devait pas être comme les autres.

— Amenez-la-moi. Je suis sûr que je lui plairai.

Avec une certaine nervosité, qui n'échappa point à Quaid, le barman cria en direction d'une tablée près de l'escalier.

— Hé, Mel ! (Il attendit mais personne ne répondit.) Melina !

Quaid porta son regard vers la table.

La femme, qu'il voyait de dos, était assise sur les genoux d'un mineur à la mine patibulaire. L'un des hommes, qui faisait face au bar, vit le barman qui essayait d'attirer l'attention de Melina. Il lui fit un signe, et elle se retourna.

Quaid tressaillit. Elle était la femme de ses rêves !

— Elle est avec Tony, murmura le barman. Un bon conseil, l'ami : si vous n'aimez pas vous battre...

— Il y a des fois où ça vaut la peine, répliqua Quaid.

— Alors, vous irez vous battre dehors. Le patron tient à ses meubles.

Le beau et fin visage de Melina exprimait une grande stupeur. Elle jeta un bref coup d'œil à ses compagnons, puis de nouveau regarda Quaid. Soudain elle se leva des genoux de Tony et se dirigea vers le bar. Quaid l'observait avec une attention passionnée. Physiquement, elle était la réplique exacte de celle qui avait hanté son sommeil. Mais il ne reconnaissait pas ce sourire canaille, vulgaire qu'elle lui adressait en traversant la salle.

— Mais c'est un revenant ! s'exclama-t-elle en se hissant sur ses talons pour l'embrasser sur la bouche d'un baiser humide. (Elle laissa traîner sa main sur le torse bosselé de muscles.) Toujours en forme, hein ? (Elle baissa les yeux sur sa braguette.) Et lui aussi, il a pris de l'exercice pendant tout ce temps ?

Ce n'était pas en public qu'ils pourraient parler. Il joua le jeu.

— Ouais, avec quelques blondes.

— Mais je parie qu'il meurt d'envie de s'amuser avec une brune.

Elle l'entraîna vers l'escalier. Comme ils passaient près de la tablée de mineurs, Tony étendit sa jambe, leur barrant le chemin.

— Où tu vas comme ça ? demanda-t-il à Melina.

— Du calme, Tony, dit-elle. Il en restera plein pour toi.

Mais Tony la prit par le bras et l'attira sur ses genoux.

— J'étais là le premier, dit-il à Quaid. Fais la queue, mec.

Quaid agrippa Tony par le poignet et se pencha vers lui.

— C'est pas une boulangerie, ici, dit-il d'une voix sourde.

Tony leva vers lui un regard où l'on sentait une violence prête à exploser.

— George, dit Melina, dis à cet animal de se calmer.

Le mineur à qui elle s'adressait était assis bien droit sur sa chaise. Il semblait détendu et sûr de lui.

— Hé, Tony, dit-il d'un ton bienveillant. Laisse donc Melina faire son boulot.

A contrecœur, Tony relâcha Melina, et Quaid retira lentement sa main.

— Va te faire foutre, lança-t-il à Quaid, avant de se tourner de nouveau vers ses collègues.

Melina s'engagea dans l'escalier. Quaid la suivit, tout en gardant l'œil sur Tony et la salle. Une femme descendait l'escalier. Une naine dont la tête n'arrivait pas à la ceinture de Quaid. Elle leva vers lui un regard où on lisait un vif intérêt.

— Je te présente Thumbelina, mon chou, dit Melina. Occupe-toi un peu de Tony, veux-tu ? demanda-t-elle à la naine. Je le trouve un peu trop nerveux, aujourd'hui.

La naine acquiesça d'un signe de tête, les yeux fixés sur les pectoraux de Quaid.

— C'est où et quand tu veux, chéri, lui dit-elle avec un sourire gourmand.

Dans le couloir, à l'étage, Melina lui jeta un regard suggestif en poussant la porte de sa chambre et en l'invitant à entrer le premier.

Elle referma au verrou derrière elle, se retourna vers Quaid... et le gifla à la volée.

— Espèce de sale type! siffla-t-elle entre ses dents. Tu es en vie! Et moi qui croyais que Cohaagen t'avait torturé à mort!

— Désolé de te décevoir, dit Quaid, surpris.

Le ton de sa voix, son attitude, tout avait changé en elle. Ce n'était plus la prostituée riant aux éclats parmi une tablée de mineurs, mais une femme vibrante de détermination et qui, même dans sa colère, gardait une élégante dignité. Quaid ne savait que penser de ce brusque changement.

— Tu ne pouvais pas décrocher un téléphone? Tu n'étais donc pas curieux de savoir comment, moi, j'allais?

Quaid la dévorait du regard sans pouvoir articuler un seul mot. Et puis, qu'aurait-il pu dire?

Soudain la colère de Melina tomba. Elle lui rendit son regard et, l'instant d'après, elle se jetait dans ses bras, le couvrant de baisers passionnés. Quaid, stupéfait, subissait l'assaut. Quelle torture d'aller d'énigme en énigme!

— Oh, Hauser, Dieu merci, tu es vivant! s'écria-t-elle.

Elle le connaissait donc! Il dut se forcer à l'écarter de lui. Malgré le désir qu'elle suscitait en lui, il n'était pas venu pour ça.

— Melina... Melina...

Il hésita, ne sachant si c'était son véritable nom.

— Quoi?

— Il y a quelque chose que je dois te dire...

Elle attendit, curieuse. Quaid reprit avec difficulté :

— Je ne me souviens pas de toi.

Melina le considéra d'un air perplexe.

— Mais de quoi parles-tu?

— J'ai perdu le souvenir de toi. De nous. Je ne sais même plus qui j'ai été.

Melina eut un rire incrédule.

— Quoi? Tu souffres d'amnésie? Comment es-tu arrivé jusqu'ici, si tu ne te souviens de rien?

— Hauser m'a laissé un message.

Melina leva les yeux au ciel, comme si elle venait d'entendre la plus belle absurdité de sa vie.

— Hauser ? Mais c'est toi, Hauser !

— J'étais Hauser. Maintenant, je m'appelle Douglas Quaid.

Un grand sourire éclaira le visage de Melina.

— Hauser, tu as perdu la tête ou quoi ?

— Non, je ne l'ai pas perdue, répondit gravement Quaid. Cohaagen me l'a volée. Il a découvert que Hauser avait changé de camp, alors il en a fait quelqu'un d'autre. (Quaid haussa les épaules.) Il a fabriqué Quaid.

Maintenant, il y avait de la méfiance dans le regard que Melina posait sur lui.

— Tout cela me paraît bien étrange, murmura-t-elle.

— Il m'a envoyé sur Terre, poursuivit Quaid. Il m'a trouvé une épouse, un travail...

— Une épouse ? Tu veux dire que tu es marié ?

Quaid comprit qu'il avait fait une gaffe.

— Elle n'était pas vraiment ma femme...

— Oui, elle était seulement la femme de Hauser, railla Melina, sarcastique. Quelle idiote je fais !

— Ecoute, dit Quaid, oublions cette histoire d'épouse...

— Non ! Melina était furieuse. Oublions tout ! J'en ai assez de toi ! Assez de tes mensonges !

— Pourquoi te mentirais-je ?

Quaid aussi était gagné par la colère. Il était si près de remplir les blancs de sa mémoire. Jamais il n'aurait de meilleure occasion d'éclaircir une partie du mystère.

— Parce que tu travailles toujours pour Cohaagen, dit-elle d'une voix glacée.

— Ne sois pas ridicule, dit-il sèchement.

— Tu ne m'as jamais aimée, Hauser ! cria-t-elle. Tu t'es seulement servi de moi pour entrer.

— Entrer où ?

La question ranima sa méfiance.

— Je te demande de me laisser, maintenant, dit-elle en lissant du plat de la main le couvre-lit.

— Melina, Hauser a besoin de moi. (Il porta son index à sa tempe.) Il dit qu'il y a là-dedans de quoi éliminer Cohaagen une bonne fois pour toutes.

— Ça ne marche plus ! aboya-t-elle. Je ne me laisserai pas avoir, cette fois-ci !

— Aide-moi à retrouver la mémoire, dit-il.

Il fit un pas vers elle, mais elle recula.

— Va-t'en !

— Melina ! J'ai toute une bande de tueurs à mes trousses.

Elle plongea la main sous le matelas, et Quaid se retrouva face au canon d'un gros pistolet automatique, qu'elle braquait sur lui d'une main qui ne tremblait pas.

— Vraiment ?

Il lut dans ses yeux qu'elle n'hésiterait pas à tirer.

Peste ! Il ne perdait pas seulement une chance d'en savoir plus. Il avait retrouvé la femme de ses rêves, et elle le haïssait au point d'être prête à le tuer.

La mort dans l'âme, il sortit de la chambre. Comme il refermait la porte, Melina cessa de retenir ses larmes. Quelle naïveté de s'être imaginé que Hauser l'aimait !

Il avait rejoint la cause rebelle, proclamant qu'il ne supportait plus de voir le peuple de Mars martyrisé par Cohaagen. Elle avait douté de sa sincérité dès le début. Cohaagen devait avoir une piètre opinion des rebelles pour penser qu'il pouvait infiltrer un de ses agents au sein de la Résistance. Melina s'était toujours gardée de laisser Hauser approcher Kuato.

Désignée par la Résistance pour le surveiller, elle ne l'avait pas quitté, mais elle avait eu beau garder l'esprit vigilant, elle avait fini par s'éprendre de lui. Hauser était intelligent, drôle, et il lui avait paru tellement sincère quand il lui avait déclaré son amour pour elle ! A présent, elle se reprochait amèrement cette faiblesse. Comment elle, une rebelle, avait-elle pu aimer un espion de l'Agence !

Depuis qu'il avait disparu, elle s'était efforcée de l'oublier. En vain. Et puis, là, quelques minutes plus tôt, quand elle l'avait vu au bar, elle s'était sentie à nouveau déchirée entre sa passion et sa méfiance. Mais cette histoire grotesque d'amnésie l'avait finalement convaincue qu'il cherchait à l'utiliser encore.

Au bar, Benny s'était fait aborder par Mary, et il ne savait comment se défaire de l'entreprenante beauté, quand il vit Quaid descendre l'escalier.

— Je te promets de revenir, ma belle, dit-il à Mary, et il courut après Quaid qui atteignait déjà la porte.

— Hé ! ça n'a pas été long ! s'exclama-t-il.

Quaid lui jeta un regard noir et sortit dans la rue.

— Jamais fait ça avec une mutante ? demanda Benny, lui emboîtant le pas.

— Non.

— Je connais des sœurs siamoises...

— Ça m'intéresse pas ! grogna Quaid.

Sans le vouloir, Benny ravivait son désespoir. Comment pourrait-il convaincre Melina de son amour pour elle et de son attachement à la cause qu'elle défendait, alors qu'il n'avait aucun souvenir de leur relation ?

— Où est votre taxi ? demanda-t-il sèchement à Benny qui trottinait à son côté.

— Là-bas, répondit Benny en désignant l'autre côté de la rue.

— Ramenez-moi à mon hôtel.

Quelques minutes plus tard, ils pénétraient dans l'un des tunnels de verre. Mais la lumière solaire, qui contrastait si cruellement avec la pénombre des bas quartiers, ne put distraire Quaid de ses sombres pensées. Les baisers dont Melina l'avait couvert un bref instant lui étaient comme autant de brûlures.

18

EDGEMAR

DANS sa chambre à l'hôtel Hilton, Quaid essayait de se détendre. Ses poursuivants semblaient avoir abandonné la traque, pour le moment. Leurs tentatives précédentes leur avaient coûté plutôt cher en hommes, et ils n'avaient sans doute pas envie d'un nouveau massacre dans le quartier touristique de Mars et s'attirer les foudres du gouverneur Cohaagen. Il prendrait toutefois ses précautions avant de s'accorder un peu de sommeil. Il tromperait l'ennemi avec quelques coussins disposés sous la literie et s'installerait à l'abri dans la penderie.

Il alluma la vidéo. Des images d'un documentaire sur Mars défilèrent à l'écran : désert rouge jonché de roches noires, un paysage qui n'exerçait plus sur lui la même fascination, après son douloureux échec auprès de Melina. La vie sans elle lui semblait avoir perdu toute saveur.

« Les premiers vestiges d'une présence étrangère sur Mars ne furent découverts que quarante ans après la première expédition humaine », dit la voix du commentateur.

Quaid aurait trouvé le sujet passionnant, si le visage durci de Melina n'avait parasité ses pensées.

Il changea de chaîne. Vilos Cohaagen apparut. Depuis son quartier général, le gouverneur faisait une déclaration.

« Je viens d'ordonner l'application de la loi martiale sur le territoire de Mars. Je ne tolérerai plus la moindre atteinte à notre production de turbinium. Mr Kuato et sa bande de terroristes doivent comprendre que leurs tentatives de sabotage ne feront qu'aggraver la misère... »

Pourquoi Cohaagen déclarait-il la loi martiale ? se demanda Quaid. Que craignait-il ? Il contrôlait le gouvernement, l'armée, l'Agence. Certes, il y avait une résistance, mais que pouvait-elle contre tant de forces réunies ?

Les images qui suivirent ne risquaient pas d'être retransmises sur Terre.

Quatre prisonniers enchaînés étaient enfermés dans une cellule pressurisée aux parois de verre, et une lente dépressurisation avait commencé. Dans les yeux des captifs se lisait la certitude désespérée d'une mort imminente.

« Francis Aquado, condamné pour détérioration de bien public, déclara une voix off. Judith Redensek et Jeannette Wyle, résistance à agents des forces de l'ordre. Thomas Zachary, trahison. »

La dépressurisation se poursuivait. Les prisonniers suffoquaient, du sang sourdait de leurs narines et de leurs bouches. La caméra s'attardait sur les visages déformés par la souffrance. C'était là une mort atroce, et le fait qu'elle soit donnée à voir à tous, en disait long sur la tyrannie dont le peuple de Mars faisait l'objet.

Révolté, écœuré, Quaid éteignit la vidéo. Si l'on condamnait à mort des gens pour détérioration de bien public, résistance à agents, que lui réservait-on, à lui qui avait cumulé les deux, sans compter la mort de huit membres de l'Agence ! Quant à la trahison du dénommé Zachary, ce ne devait être rien de plus qu'une protestation face à de telles pratiques.

Il tressaillit soudain. On avait frappé à la porte de sa chambre. Les tueurs revenaient-ils à l'assaut ?

— Mr Quaid..., dit une voix.

Il décida de répondre. Pour les avoir vus à l'œuvre, il

savait que ses poursuivants auraient déjà fait sauter la porte et tiraillé dans tous les coins.

— Oui ?

— Il faut que je vous parle... C'est au sujet de Mr Hauser.

Quaid avait pris sa chambre sous le nom de Brubaker. Son visiteur connaissait donc sa véritable identité. Par ailleurs, la voix lui était familière mais il ne parvenait pas à lui donner un visage.

Il sortit son pistolet qu'il s'était empressé de remonter dès qu'il était arrivé dans sa chambre. Il s'approcha de la porte en restant plaqué contre le mur.

— Qui êtes-vous ? demanda-t-il.

— Le Dr Edgemar. Je travaille pour l'agence Souvenance. Pourriez-vous m'ouvrir, s'il vous plaît ? Je ne suis pas armé.

Quaid, prêt à tirer, entrebâilla la porte.

Un homme à l'aspect chétif, vêtu d'un complet de tweed, se tenait timidement devant lui. Quaid se rappela où il avait entendu cette voix. Sur les écrans-vidéo du métro, sur Terre. C'était l'homme qui vantait les mérites de Souvenance, une publicité qui avait déclenché toute cette série d'événements.

Quaid inspecta le couloir d'un bref coup d'œil.

— Vous n'avez rien à redouter, dit Edgemar. Je suis seul. Puis-je entrer ?

Quaid tira rudement l'homme à l'intérieur et referma la porte. Puis il s'assura d'une fouille rapide que l'autre n'était pas armé.

— Ce que j'ai à vous apprendre, Mr Quaid, va vous paraître difficilement acceptable.

— Je vous écoute.

— Voyez-vous, en ce moment même, vous n'êtes pas vraiment là où vous le croyez.

Quaid ne put réprimer un gloussement.

— Vous auriez pu trouver mieux, Edgemar, dit-il, tout en se demandant pourquoi Cohaagen, au cas où ce Dr Edgemar serait l'un de ses pions, chercherait à lui faire croire à pareille absurdité, alors qu'il lui était plus facile de le faire abattre par ses agents.

— Comme je vous le disais, insista Edgemar, vous n'êtes pas dans cette chambre d'hôtel. Pas plus que je n'y suis moi-même.

De sa main libre, Quaid palpa l'épaule de son visiteur.

— C'est la première fois que je peux toucher une illusion, dit-il. Et où serions-nous, selon vous ?

— Sur Terre, dans nos locaux de Souvenance.

Quaid ne pouvait nier que tout avait commencé là-bas, par un voyage imaginaire qui avait bouleversé son existence et fait de lui un homme traqué.

— Vous êtes toujours sanglé à votre fauteuil, poursuivit Edgemar, et je suis en train d'enregistrer vos ondes cérébrales.

— Je suis en train de rêver, en quelque sorte ? dit Quaid, railleur. Et cette chambre est comprise dans le petit voyage organisé que vous m'avez vendu ? (Quaid pensa de nouveau à sa pénible scène avec Melina. Il n'y avait que la réalité pour vous réserver un tel dépit.)

— Pas tout à fait, répondit Edgemar avec toute la patience due par un professionnel envers le profane. Ce que vous vivez est une illusion dont vous êtes le metteur en scène.

Quaid poussa un soupir d'agacement. Ou ce type le prenait pour un parfait crétin ou bien...

— J'ai été implanté parmi les souvenirs correspondant au voyage que vous avez choisi, continuait l'homme de Souvenance. Et cela pour vous aider, Mr Quaid. (Il prit une expression soucieuse.) Car, voyez-vous, Mr Quaid, nous ne parvenons pas à vous ramener à la réalité. Vous poursuivez un voyage imaginaire dont nous ne sommes, hélas, pas maîtres.

— Et tout ceci n'est pas la réalité ? demanda Quaid en désignant la pièce d'un geste de la main.

— Réfléchissez, Mr Quaid, votre délire a commencé, alors que nous n'avions même pas terminé l'implantation prévue. La poursuite par des agents ennemis, votre départ pour Mars avec la navette, cette chambre à l'Hilton, tout cela fait partie de nos prestations. N'avez-vous pas choisi d'être espion, parmi les jeux de rôle que nous proposons ?

— Foutaises ! grogna Quaid, secoué malgré lui par ce qu'il entendait.

— Et cette fille ? reprit Edgemar. Brune, belle, audacieuse et timide à la fois, est-elle aussi une foutaise ?

— Elle existe, dit Quaid. Je rêvais d'elle bien avant de faire appel à vos services.

— Mr Quaid, vous êtes en train de me dire que cette fille existe, parce qu'elle était dans vos rêves ? s'étonna Edgemar.

— Ça peut paraître absurde, mais c'est pourtant vrai, insista Quaid.

Edgemar soupira, l'air découragé.

— Peut-être ceci vous convaincra-t-il. Voudriez-vous ouvrir la porte, je vous prie ?

Quaid enfonça le canon de son pistolet dans les côtes du Dr Edgemar.

— C'est vous qui allez l'ouvrir !

— Inutile d'être brutal, Mr Quaid.

Edgemar alla à la porte, suivi de Quaid, sur le qui-vive.

Quaid s'attendait à bien des choses, mais pas à voir Lori sur le seuil ! Une Lori toujours aussi belle et séduisante. Son visage ne portait nulle trace du coup qu'il lui avait porté.

— Mon chéri..., dit-elle d'une voix douce.

Elle avait tenté de le tuer, l'avait frappé, l'avait zébré de coups de couteau, dont il portait encore les traces. Elle avait tout tenté pour le livrer à Richter et à Helm. Et elle lui donnait du « chéri » ?

— Entrez, je vous en prie, Mme Quaid, invita Edgemar.

Quaid l'attira vers lui, la fouilla sans douceur, et la repoussa contre le mur.

— Je suppose que, toi non plus, tu n'es pas vraiment là ? dit-il.

— Je me trouve en ce moment même à Souvenance, répondit Lori.

Quaid ricana. Cependant, Edgemar était parvenu à le troubler. Après tout, ces implantations mémorielles n'étaient pas sans risques. Il était dangereux de jouer avec ses neurones. L'arrivée de Lori ajoutait à sa perplexité. Mais il savait également que la partie en cours était serrée, et que la moindre faute lui serait fatale.

— Doug, je t'aime, dit Lori, les yeux embués de larmes.

— Oui, c'est pourquoi tu as voulu me tuer !

— Non ! s'écria-t-elle, éclatant en sanglots. Jamais je n'aurais pu faire une chose pareille. Comment peux-tu penser cela de moi, qui te suis toujours restée fidèle !

— Incroyable ! marmonna-t-il. (Mais il était tout de même quelque peu ébranlé.)

— Qu'est-ce qui est incroyable, Mr Quaid ? demanda Edgemar. Que vous soyez victime d'un délire paranoïaque, à la suite d'une implantation mémorielle ou... que vous soyez réellement un invincible agent secret, victime d'une conspiration interplanétaire qui chercherait à lui faire croire qu'il n'est qu'un ouvrier du bâtiment, venu rêver un peu grâce à nos soins ?

Evidemment, il y avait de quoi douter de la réalité de l'aventure extraordinaire qu'il vivait depuis peu. Où avait-il appris à se battre comme il l'avait fait ? Il n'avait jamais manié qu'un marteau-piqueur. Et qui était cet Hauser qui prétendait être lui-même ? Toutes ces énigmes commençaient à lui donner le tournis.

Et Lori, là, devant lui, qui le couvait d'un regard tendre, aimant, était-ce la même femme avec laquelle il avait dû se battre si âprement ?

— Si ce que vous prétendez est vrai, dit-il à Edgemar, que devrais-je faire pour en sortir ?

Edgemar ouvrit la main, révélant une petite pilule.

— Qu'est-ce que c'est ? demanda Quaid, sur ses gardes.

— Oh, juste un symbole. Un symbole de votre désir de retrouver la dimension du réel, expliqua Edgemar. Dans le rêve que vous êtes en train de faire, vous vous endormirez.

Et je me réveillerais sur cette bonne vieille Terre. Comme ce matin où il s'était retrouvé dans son lit, Lori penchée sur lui, alors qu'il sortait de ce cauchemar, où il chutait dans un abîme ? Il prit la pilule et la contempla.

— Sachez qu'à Souvenance, nous n'abandonnons pas nos clients en difficulté. Nous vous dédommagerons d'un incident dont nous sommes en partie responsables.

— Combien ? demanda Quaid d'un ton distrait. En admettant qu'il soit entré dans un monde imaginaire, comme l'affirmait Edgemar, n'était-il pas plus passionnant d'y rester plutôt que de retourner sur Terre pour y reprendre une existence médiocre ? songeait Quaid.

— Oh, cent mille dollars. Peut-être plus.

— Nous pourrions nous acheter une maison ! s'exclama Lori, enthousiaste.

— Oui, ce que vous voudrez, dit Edgemar, mais il vous faut d'abord prendre cette pilule.

Quaid redevint méfiant. Pourquoi cette insistance à lui faire avaler un produit qui, selon Edgemar, n'était que le symbole de son désir de regagner la réalité ?

— D'accord, supposons que vous disiez vrai, et que tout ceci ne soit qu'un rêve, dit Quaid. (Il pointa son arme sur Edgemar, visant la tête.) Alors ça n'a pas d'importance réelle si je vous tue.

Il pressa lentement la détente. C'était la minute de vérité.

— Non, Doug, je t'en prie ! s'écria Lori.

Mais Edgemar ne perdit pas son sang-froid.

— Cela n'aura aucun effet sur moi, Doug, dit-il avec calme. Mais pour vous, je serai mort, et vous n'aurez plus personne pour vous aider. Vous resterez à jamais prisonnier de votre délire.

— Doug, je t'en supplie, laisse le Dr Edgemar t'aider ! intervint Lori.

Quaid ne savait plus que penser. Ces deux-là avaient un ton d'une telle sincérité !

— Vous vivrez dans l'imaginaire, reprit Edgemar. Un jour, vous serez le défenseur de la cause rebelle, le lendemain, vous jouerez le fidèle second de Cohaagen. Jusqu'à ce que vous soyez interné et... lobotomisé.

Quaid ne doutait pas que, s'il était en ce moment même sur Terre, en train de rêver, sanglé sur un fauteuil, il risquait de ne pas échapper à une lobotomie.

Plus décontenancé que jamais, il abaissa son arme.

— Voilà qui est raisonnable, dit Edgemar. Maintenant, avalez cette pilule, et vous nous serez éternellement reconnaissant, à votre femme et à moi-même, de vous avoir sauvé la vie.

Quaid porta la pilule à sa bouche.

— Et avalez-la, poursuivit Edgemar.

Quaid hésitait encore. Edgemar et Lori semblaient vibrer d'impatience.

— Vas-y, Doug, c'est pour ton bien, plaida Lori.

Mais Quaid ne pouvait négliger la question essentielle : et si ce n'était pas un rêve ? Dans ce cas, la pilule ne serait pas le symbole prétendu, mais le stratagème imaginé par Cohaagen pour l'éliminer.

Et puis il remarqua les fines gouttes de sueur perler au front d'Edgemar.

L'instinct de survie prit la relève. Il leva son arme et, d'une balle, fit sauter le crâne d'Edgemar. A l'instant même, une explosion le projeta violemment contre le mur. Un énorme trou béait dans la cloison en face de lui, et quatre hommes en surgissaient et se jetaient sur lui !

Non, il ne rêvait pas. Le réel avait cette odeur de poudre, et le visage des tueurs à la solde de l'Agence. Ils avaient tenté de le piéger avec l'aide d'Edgemar et de Lori. Puis, le stratagème échouant, ils étaient passés aussitôt à l'attaque.

Les quatre hommes essayèrent de l'immobiliser.

Cette fois, ils le voulaient vivant. Il se débattit comme un diable, frappant avec l'énergie du désespoir. Il parvint à s'extraire de la mêlée, fonça vers la porte. Mais Lori lui bloqua le passage. Malgré lui, il hésita à la charger, oubliant combien elle était rapide. Elle lui porta un coup de pied au visage avec une force qui le fit vaciller.

Les quatre autres en profitèrent pour lui sauter dessus. De nouveau, il lutta férocement, mais Lori le frappa à l'entrejambe, et la douleur annihila ses forces. Il se retrouva, menotté, mains dans le dos. Il leva les yeux vers celle qui l'avait encore trahi, et cette fois elle lui donna un coup de genou au visage. Il s'affaissa, à moitié assommé.

Il eut vaguement conscience d'être traîné hors de la chambre, tandis que Lori parlait dans un vidéophone portable.

— J'ai fini par l'avoir, dit-elle en souriant à Richter, dont le faciès de brute apparaissait sur l'écran.

— Amenez-le en bas, dit-il.

Lori avança les lèvres en un baiser silencieux, et la communication prit fin.

Richter aurait préféré tuer Quaid de ses propres mains, mais Lori avait réussi à le capturer vivant, répondant ainsi aux ordres de Cohaagen.

19

FUITE

QUAID reprenait rapidement conscience. Conduits par Lori, ses ravisseurs le traînèrent jusqu'à un ascenseur de service. Ils le forcèrent à se relever, tandis qu'ils attendaient l'arrivée de l'appareil. Il resta la tête baissée, contemplant le sol à ses pieds, concentrant tous ses efforts à retrouver ses esprits. Il remarqua le poignard que Lori portait, glissé dans sa bottine. Comment avait-il pu se laisser tromper par elle ?

L'ascenseur s'immobilisa à l'étage, la porte coulissa, et des coups de feu éclatèrent. L'agent qui se tenait devant Quaid s'écroula. La femme qui venait de surgir de l'appareil, un gros pistolet automatique à la main, cloua Quaid de stupeur. C'était Melina !

Les trois autres hommes qui encerclaient Quaid n'eurent pas le temps de dégainer leurs armes. Melina les abattit avec une rapidité et une précision que Quaid-Hauser lui-même n'aurait pu égaler.

Mais Lori aussi avait d'extraordinaires réflexes. Sa jambe partit, fauchant Melina qui, dans sa chute, lâcha son arme. Lori se jeta sur elle et, l'empoignant par les cheveux, lui cogna la tête contre le sol. Une fois, deux fois. A la troisième, Melina cessa de résister.

Quaid, les mains liées derrière le dos, parvint à s'emparer d'un pistolet glissé dans la ceinture de l'un des agents. Comme il se retournait, il vit Lori dégainer son poignard et le lever au-dessus de Melina. Mais elle ne frappa pas tout de suite. Elle attendit que Melina rouvre les yeux, voie la lame plonger dans son cœur.

— Fais pas ça ! cria Quaid.

Lori tourna la tête vers lui et vit qu'il la tenait en joue. Mais avec ses mains attachées dans le dos, il était difficile, même pour un tireur comme Quaid, de viser juste.

— Doug..., murmura-t-elle... tu ne tirerais pas sur moi, n'est-ce pas ?

Il garda le pistolet pointé sur elle.

Lori abaissa lentement son bras.

— Sois raisonnable, mon chéri, dit-elle en refermant les doigts de sa main droite autour de la lame du poignard. Le geste était si naturel qu'il serait passé inaperçu de tout autre que Quaid. Et il ne doutait pas de son habileté au lancer.

Il ne lui laissa pas le temps d'en faire la démonstration. Il tira. La balle atteignit Lori au front. Le poignard lui glissa de la main, et elle s'écroula.

— C'était elle, ta femme ? demanda Melina en se relevant avec peine.

Quaid hocha la tête. Il n'avait pu faire autrement que de tuer Lori. Mais il l'avait fait, le cœur lourd, alors qu'elle-même l'avait trahi, frappé, et elle l'aurait abattu sans la moindre hésitation.

— Quelle salope, dit Melina.

Ce n'était pas Quaid qui allait la contredire.

Pendant ce temps, Richter et Helm s'impatientaient devant l'ascenseur de service. Ce fichu appareil en mettait du temps pour descendre !

Quaid observait Melina fouiller rapidement les poches de Lori.

— On a quitté son travail ? demanda-t-il, sarcastique.

— Mon travail, c'est ce que je suis en train de faire, rétorqua-t-elle.

— Et La Dernière Chance, ça fait partie de tes loisirs ?

— C'est ma couverture, dit-elle en poursuivant méthodiquement sa fouille.

— J'avais cru comprendre que tu me détestais.

— C'est exact.

Melina avait mis la main sur la clé des menottes, et elle se hâta de le libérer.

— Et à quoi est dû ce revirement ? demanda-t-il, comme s'ils avaient tout leur temps pour bavarder.

— Si Cohaagen veut ta peau, c'est donc que tu es son ennemi.

— C'est pour me présenter tes excuses que tu es venue ?

— Kuato veut te voir. Viens, ne traînons pas ici ! Elle l'aida à se relever, et ils s'élancèrent dans le couloir.

L'instant d'après, Richter et Helm sortaient de l'ascenseur. Richter se figea à la vue du corps de Lori, le front percé d'une balle. Il blêmit. Non, pas Lori ! Pas sa Lori ! Elle avait été le seul bonheur qu'il eût jamais eu dans sa vie.

— Là-bas ! dit soudain Helm en désignant le fond du couloir.

Richter tressaillit, et puis il les vit, les assassins de Lori. Avec un hurlement de rage, il déchargea son arme en direction des fuyards.

Melina et Quaid étaient arrivés à une porte de secours, mais celle-ci refusa de s'ouvrir. Ils continuèrent de courir. Au bout du couloir, une baie vitrée donnait sur le ciel rouge et la structure du dôme géodésique.

— Et maintenant ? demanda Quaid.

— On saute ! répondit Melina sans ralentir sa course.

Ils sautèrent ensemble, passant à travers la vitre. Quaid rouvrit les yeux juste à temps pour voir le toit à moins de trois mètres en dessous d'eux. Une série de terrasses s'étendaient devant eux, longeant l'entrelacs de poutrelles soutenant le dôme.

Comme ils se remettaient à courir, sautant de toit en toit, des coups de feu éclatèrent derrière eux. Richter et Helm n'avaient pas abandonné la poursuite.

Ils parvinrent à la dernière terrasse. Devant eux, le vide. Derrière, un Richter aveuglé par la rage.

— Le dôme ! cria Melina. Quaid la vit prendre son élan, et d'un bond qui en disait long sur ses qualités athlétiques, sauter sur une passerelle métallique courant le long du dôme. Il s'élança à son tour. Comme il atterrissait sur la passerelle, il vit Richter et Helm parvenir au bord du vide. Richter leva son arme mais Helm lui rabattit le bras juste à temps pour que le coup se perde vers le sol.

— Tu veux tous nous tuer ? hurla-t-il.

Furieux, Richter frappa Helm au visage et voulut récidiver. Mais Helm se jeta de nouveau sur lui.

— Tu vas faire exploser le dôme ! cria-t-il.

Quaid reprit sa course, s'attendant à ce que ce fou de Richter provoque une catastrophe. Une seule balle pouvait percer le dôme, et la dépressurisation qui s'ensuivrait aspirerait tout Vénusville ! Mais l'homme dut avoir un éclair de raison, car le coup ne partit jamais.

Il suivit Melina qui, en véritable acrobate, sautait maintenant de poutrelle en poutrelle, descendant rapidement en direction du sol. Dans l'exercice, son pistolet en plastique glissa de son ceinturon et tomba dans le vide. Ils n'avaient plus d'arme pour riposter.

Richter et Helm avaient choisi de descendre par un ascenseur extérieur, une voie plus rapide et plus facile. Ils parvinrent au niveau de la rue presque en même temps que les fugitifs. Cette fois, Richter prit le temps de viser. Un sourire cruel étira ses lèvres. Il n'avait pas l'intention de faire des prisonniers.

Quaid et Melina couraient à perdre haleine, quand un taxi s'arrêta devant eux dans un crissement de freins. C'était Benny.

— Taxi ? demanda-t-il.

Ils s'engouffrèrent dans le véhicule, qui démarra sous une grêle de balles. La vitre arrière explosa.

— A La Dernière Chance ! cria Melina. Et le plus vite que vous pourrez !

Derrière eux, Richter et Helm sautèrent dans leur voiture. La poursuite infernale continuait.

— Quand je pense que j'ai six gosses à nourrir ! gémit Benny, accroché à son volant, l'accélérateur au plancher.

— Vous avez une arme, Benny ? demanda Quaid.

— Sous le siège.

Quaid plongea la main sous le siège de devant et trouva un gros automatique. Ce chauffeur de taxi était décidément la providence.

Il se retourna et vit Richter se pencher par la portière et faire feu. La balle fracassa le rétroviseur de Benny.

Quaid riposta. Le pare-brise de leurs poursuivants vola en éclats. La voiture fit une embardée, puis reprit sa trajectoire. Helm n'avait pas été touché. Richter non plus, et il lui était maintenant plus facile de tirer.

Quaid le vit changer d'arme. La grosseur du canon annonçait un calibre peu ordinaire.

Le premier projectile arracha une aile arrière. Le deuxième emporta la moitié du toit.

— Merde ! grogna Benny. J'ai même pas fini de payer les traites !

Ils arrivaient en vue de La Dernière Chance, quand un troisième projectile déchiqueta un pneu. Déséquilibré, le taxi partit en tête à queue et termina sa course... couché sur le flanc.

Quaid réagit sans en prendre conscience. La voiture n'était pas encore totalement immobilisée qu'il aidait Melina et Benny à sortir et les entraînait avec lui au pas de course.

Deux secondes plus tard, Richter et Helm débouchaient dans la rue, criblant de balles ce qui restait du taxi de Benny.

20

KUATO

LE bruit de la fusillade avait alerté le barman de La Dernière Chance. Il tenait la porte ouverte. Melina, Quaid et Benny se précipitèrent à l'intérieur, et il referma derrière eux. Quant à Tony et ses compagnons, ils avaient soulevé leur table et, avec elle, une partie du plancher, révélant un large trou dans le sol.

Sans hésiter, Melina fit signe à Quaid et Benny de la suivre, et elle sauta dans le trou. Quaid, fermant la marche, avait à peine disparu que les mineurs replaçaient la table et reprenaient leur partie de cartes, comme si de rien n'était. Soudain Richter, Helm et six soldats firent irruption dans la salle.

Richter ne se laissa pas abuser par la tranquillité du lieu. Il se saisit de Mary et lui colla le canon de son énorme pistolet contre la tempe.

— Où sont-ils passés ? gronda-t-il.

— Qui ça ? J' sais pas de quoi... La balle pulvérisa littéralement la tête de Mary. Richter repoussa le corps et empoigna Thumbelina.

— Toi, tu le sais peut-être, dit-il, menaçant.

Elle n'eut pas le temps de répondre. Tony avait bondi sur Richter, le jetant à terre. Comme Helm pointait son arme sur Tony, Thumbelina tira un couteau de chasse de sous sa robe. Helm tomba, proprement éventré.

Une mêlée sauvage s'ensuivit. Les autres mineurs se jetèrent sur les soldats, armés de leurs seuls poings ou de couteaux, de bouteilles, de chaises. Le temps que Richter parvienne à se libérer de Tony, il vit que la moitié de ses hommes avait succombé. Il plongea à travers une fenêtre, couvert dans sa retraite par les tirs d'autres soldats accourus à la rescousse.

Il courut jusqu'à un camion militaire, dégorgeant de nouveaux renforts. Le véhicule était armé d'un lance-roquettes. Une arme rêvée pour ce qu'il avait l'intention de faire. Mais il n'eut pas le loisir de mettre son projet à exécution. Un soldat accourait vers lui, un vidéophone portable à la main.

— Vous avez un appel de Cohaagen !

Richter arracha l'appareil des mains du soldat :

— Monsieur Cohaagen... commença-t-il, mais le gouverneur l'interrompit.

— Cessez le combat et retirez-vous !

— Mais ce sont eux qui protègent Quaid ! protesta Richter.

— Parfait ! dit Cohaagen. Et maintenant, retirez-vous immédiatement du secteur G. (Et pour couper court à toute remarque, il ajouta :) Exécution, Richter.

Il y avait quelque chose dans le regard de Cohaagen qui alerta Richter. Il ignorait ce que le gouverneur préparait, mais il ne doutait pas que ce serait bien plus terrible que toutes les roquettes qu'il pourrait jamais lancer. Il suivit les ordres.

La trappe par laquelle Melina, Quaid et Benny avaient fui donnait dans une galerie, faisant partie du vaste complexe minier qui s'étendait sous la ville dans toutes les directions. Ils passèrent en courant devant de petits groupes de mineurs au travail qui, apparemment habitués à ce genre d'incident, feignirent de les ignorer.

Melina s'arrêta pour souffler à une intersection de galeries. Soudain, un grondement métallique fit trembler le sol sous leurs pieds.

— Les portes de secours ! s'écria-t-elle, le visage blême. Ils veulent nous couper du reste de la ville !

A peine avait-elle parlé qu'une épaisse plaque de

métal s'abattit du plafond, obstruant l'entrée d'une des galeries devant eux. Ils se précipitèrent vers la deuxième. Trop tard !

Il n'en restait qu'une d'ouverte. Ils s'élancèrent avec l'énergie du désespoir, plongeant sous la dernière porte un dixième de seconde avant qu'elle se mette en place.

Les mineurs retranchés dans le bar de La Dernière Chance observaient les soldats regagner leurs camions. Pourquoi cette retraite soudaine ?

Quand le dernier véhicule eut disparu, les gens commencèrent à sortir des abris dans lesquels ils s'étaient réfugiés quand la fusillade avait éclaté. Les claquements sourds des portes de sécurité les alarmèrent. Un lourd silence se fit dans la rue. Les grands ventilateurs qui aéraient le secteur ralentirent et s'arrêtèrent, et une peur muette étreignit chacun.

Puis les pales des ventilateurs se remirent en branle. Des cris de soulagement montèrent çà et là, pour se muer l'instant d'après en cris de désespoir, à la vue des papiers et autres déchets qui s'envolaient, aspirés par les ventilateurs.

Ceux-ci tournaient en sens inverse ! Ils vidaient le secteur G de son air !

La galerie dans laquelle Melina les avait entraînés donnait sur une vaste salle. Elle promena le faisceau de sa torche sur les parois, qui étaient garnies de niches.

— Les premiers colons reposent ici, dit-elle.

Chaque niche abritait en effet un cadavre momifié par l'air sec et pur régnant dans les galeries.

— J'ai entendu parler de cet endroit, chuchota Benny en roulant de grands yeux.

— Ils étaient venus ici avec l'espoir d'une vie meilleure, dit Melina. Mais Cohaagen s'est emparé du pouvoir et a fait de nous des esclaves. Et encore devons-nous payer l'air que nous respirons.

L'air... Quaid eut l'impression que ce mot remuait quelque obscur souvenir.

— Nous sommes coincés comme un poisson rouge dans son bocal, dit Benny, amer.

— On aurait pu faire de Mars une planète habitable, continua Melina. Mais l'Alliance du Nord a décidé que la fabrication d'une atmosphère respirable n'était pas « économiquement envisageable », surtout si cela signifiait moins d'argent et de main-d'œuvre pour l'exploitation du turbinium.

Quaid commençait à se rappeler pourquoi Hauser était passé du côté des rebelles. Si le peuple de Mars avait une alternative à l'extraction du turbinium, il n'hésiterait pas à se révolter. Certes, il y avait une résistance, mais elle était vouée à l'échec, tant que Cohaagen contrôlerait les réserves d'oxygène.

— Et, sur Terre, tout le monde s'en fout, reprit Melina. Tant que l'Alliance du Nord continuera de dominer la Terre, grâce à ses armes au turbinium, personne ne se risquera à demander des comptes à Cohaagen. (Elle s'arrêta et se retourna vers Quaid.) Mais peut-être pourras-tu changer ça, grâce à ce que tu sais, lui dit-elle d'un ton rempli d'espoir.

Il détourna le regard, l'air gêné. Si seulement il pouvait rameuter ses souvenirs.

— Je ferai ce que je peux, répondit-il rudement.

— Kuato te fera retrouver la mémoire, dit Melina en les guidant à travers les catacombes. Et, j'espère, la mémoire de deux ou trois choses qui changeront peut-être le monde. Peut-être même que tu te souviendras de m'avoir aimée, ajouta-t-elle d'une voix triste.

Quaid ne put supporter cette tristesse. Il la prit par le bras et la fit se tourner vers lui.

— Melina, écoute-moi, dit-il. Je n'ai pas besoin de Kuato pour ça. Quand j'étais sur la Terre, j'ai rêvé de toi chaque nuit. Ils ont pu effacer tout le reste, mais pas mon amour pour toi. Pendant mon sommeil, je te voyais, je te désirais. J'ai peut-être perdu le souvenir de notre amour, mais le sentiment est resté, me hantant sans cesse jusqu'au jour où je n'ai plus supporté ma vie.

Melina le regarda dans les yeux, et il vit qu'elle commençait à le croire.

— Alors, vraiment, tu...

— Pour toujours !

Il se pencha vers elle, mais avant qu'ils échangent un baiser, Benny poussa un cri d'alarme.

Les momies autour d'eux bougeaient ! Un pan de mur coulissait comme une porte. Derrière se tenaient sept hommes armés.

Quaid se tendit, et Melina lui posa une main sur le bras pour l'apaiser.

— Ça va bien, dit-elle. Ce sont les nôtres.

L'un des rebelles s'avança et désigna Benny de son fusil.

— Qui est-ce ? demanda-t-il.

— Il nous a aidés à nous échapper, répondit Melina.

— Hé, vous inquiétez pas pour moi, dit Benny. Je suis de votre côté.

Il prit son poignet droit dans sa main gauche et tira. Il y eut un déclic, et la main droite se détacha, comme celle d'une marionnette, révélant un moignon qui se prolongeait d'une ébauche de doigts. Les rebelles le regardèrent avec une compassion muette.

Puis Benny tendit son bras et, comme il remontait sa manche, un deuxième bras lié au premier apparut. Un membre déformé aux longs doigts crochus qui s'ouvraient et se refermaient. Même les rebelles en éprouvèrent un choc, qui les convainquit que Benny le mutant ne pouvait être qu'avec eux.

— Suivez-moi, dit celui qui semblait commander le groupe.

Ils parvinrent par une étroite galerie dans une grande salle voûtée, où des dizaines d'hommes en armes se tenaient par petits groupes silencieux.

Leur guide se tourna vers Benny.

— Vous, restez ici, dit-il. (Puis s'adressant à Melina et Quaid :) Venez avec moi.

Il les escorta jusqu'au fond de la salle, où un homme était assis à une table, encombrée de cartes et de plans, ainsi que d'un vidéophone. Quaid reconnut George, l'homme tranquille de La Dernière Chance. Il était en communication au vidéophone. Son attitude et le ton autoritaire de sa voix donnaient à penser qu'il était le chef militaire des forces rebelles.

— Alors faites sauter les verrous des portes ! ordonna-t-il.

— Impossible, répondit son correspondant.

Quaid reconnut sur le petit écran cette tête brûlée de Tony, le jeune mineur ami de Melina. Il semblait respirer avec difficulté et, derrière lui, assis par terre contre le comptoir ou écroulés sur des chaises, ses compagnons souffraient du même mal.

— Cohaagen a dépressurisé les galeries, continua Tony. Et si on fait sauter les portes, on explosera tous comme des ballons.

George jeta un regard à Melina par-dessus son épaule et s'adressa de nouveau à Tony.

— D'accord, ne bougez pas et tenez bon. Melina vient d'arriver avec Quaid.

— Espérons que ça valait le coup, dit Tony.

George raccrocha, l'air sombre et pensif. Puis il se tourna vers Melina, et ses lèvres esquissèrent un sourire.

— Je suis content que tu aies réussi, dit-il.

— Tu n'as pas l'air si content que ça, repartit Melina.

George se leva de sa chaise.

— Cohaagen a isolé le secteur G.

— Nous le savons, dit Melina. Nous sommes passés de justesse.

— Ce que tu ne sais pas, c'est qu'il est en train de vider tout le secteur de son air.

Melina étouffa un cri horrifié. Cohaagen était décidément plus monstrueux qu'elle ne l'avait supposé. George tourna les yeux vers Quaid.

— Les informations que vous êtes censé détenir doivent être d'une importance capitale, pour que Kuato prenne le risque de vous rencontrer, lui dit-il. Si toutefois il n'en sortait rien, nous serons tous morts d'ici demain matin.

George les invita à le suivre jusqu'à une porte

blindée. Il composa la combinaison, et le verrou cliqueta.

— Qu'allons-nous faire ? demanda Melina.

— Kuato décidera, répondit George.

Il poussa la porte en faisant signe à Quaid de venir avec lui.

Quaid regarda longuement Melina. Il avait tant de choses à lui dire. Parviendrait-il à retrouver dans le dédale de ses souvenirs cette clé qui libérerait le peuple de Mars de la tyrannie ? Il s'arracha à ces yeux noirs brillants d'amour et d'espoir, et suivit George.

La porte se referma automatiquement derrière lui. La salle dans laquelle il se trouvait était sombre et vide, à l'exception d'une table et de deux chaises.

George lui désigna l'un des sièges.

— Asseyez-vous, dit-il.

Quaid s'assit. Il regarda autour de lui mais ne remarqua pas d'autre ouverture, du moins décelable à première vue.

— Où est Kuato ? demanda-t-il.

— Il arrive, répondit George. (Il demeura songeur pendant un instant avant de poursuivre.) Avez-vous entendu dire qu'on aurait trouvé sur Mars des vestiges d'une civilisation extraterrestre ? (Quaid répondit oui d'un hochement de tête.) C'est la vérité. Cohaagen a découvert quelque chose dans la Mine de la Pyramide, et ça lui a foutu une telle trouille qu'il a condamné tous les accès de la mine.

Ces paroles remuaient chez Quaid d'obscurs souvenirs, mais il n'aurait su dire quoi.

— Qu'aurait-il découvert ? demanda-t-il.

— C'est à vous de le dire, répondit George. Il y a un an, vous êtes tombé amoureux de Melina, et vous nous avez déclaré que vous vouliez nous aider. Alors on vous a dit : « Bravo. Vous êtes de notre côté, maintenant ? Eh bien, découvrez pour nous ce qu'il y a dans la mine. » Vous êtes parti voir, mais on ne vous a jamais revu depuis.

— Mon rêve ! s'exclama Quaid. Dans mon rêve, je

partais là-bas avec Melina, et je tombais dans un puits gigantesque...

George ôta son blouson et le posa sur le dossier de sa chaise.

— Nous ne savions pas si vous étiez mort ou fait prisonnier, continua-t-il. Ou encore si vous nous aviez trahi. Mais si cela avait été le cas, pourquoi aujourd'hui Cohaagen chercherait-il à vous capturer? (George secoua la tête.) Non. Le grand secret de Cohaagen est enfermé dans ce trou noir qui est votre cerveau. Et il nous faut absolument savoir ce qu'est ce secret.

Quaid aussi était de cet avis. Il n'était pas mort dans sa chute. Certes, il était retombé dans les mains de Cohaagen, mais qu'avait-il découvert avant cela?

George rapprocha son siège de Quaid.

— Kuato, mon frère, est un mutant. Essayez de ne pas manifester de répulsion.

— Bien sûr que non, dit Quaid, s'attendant à voir apparaître un homme à trois bras ou avec une bouche à la place d'une oreille.

George déboutonna sa chemise. Un corset fait d'une matière plastique lui moulait le torse, à la manière d'une armure. Un pare-balles?

Puis George ôta le corset...

Quaid réprima un tressaillement de stupeur. Une tête sortait lentement de la poitrine de l'homme assis en face de lui!

Le visage était plissé, ridé, velu. Les yeux étaient fermés.

— Prenez mes mains, dit George, tendant les bras. Allez, pressa-t-il, comme Quaid hésitait.

Quaid prit les mains de George dans les siennes. La proximité de cette tête le troublait.

— Maintenant, je vais vous laisser avec Kuato, dit George. Il ferma les yeux et parut s'endormir aussitôt.

La tête de l'étrange frère siamois s'agita. La bouche bâilla. Les paupières s'ouvrirent. L'un des yeux était hypertrophié.

Kuato posa sur Quaid un regard intense.

— Que voulez-vous, Mr Quaid ? demanda-t-il d'une voix fluette.

— La même chose que vous, répondit Quaid. Me souvenir.

— Mais pourquoi ?

— Pour savoir qui je suis.

— Vous êtes ce que vous faites, dit Kuato. Un homme est défini par ses actes, Mr Quaid. Pas par ses souvenirs.

L'intensité de son regard hypnotisait Quaid. Et cet œil énorme, à côté de l'autre, tout petit, dégageait une telle lumière !

— Vous allez ouvrir vos pensées, maintenant, reprit la petite voix aux accents de flûte.

Quaid ne pouvait détacher son regard de cet œil.

— Ouvrez...

Quaid eut l'impression qu'il tombait vers cette pupille sombre. Il vit son image qui s'y reflétait. D'abord son visage, puis son œil droit, puis la pupille de cet œil, tel un miroir glacé de noir qui lui renvoya une autre image... celle de la Montagne de la Pyramide.

21

RÉVÉLATION

QUAID flottait dans l'espace, désincarné, contemplant la Montagne de la Pyramide.

« Pénétrez à l'intérieur », dit la voix de Kuato, provenant d'une autre dimension.

Quaid découvrit qu'il pouvait se déplacer par sa seule volonté. D'un bond il fut sur le flanc de la montagne, et il suivit le chemin emprunté dans son rêve, jusqu'à ce qu'il parvienne au bord du gigantesque puits.

Une structure métallique aux dimensions colossales s'élevait depuis le fond de l'abîme. Dans son rêve, elle lui avait paru abandonnée, rouillée. A présent, il lui semblait qu'elle était comme animée.

« Qu'est-ce que c'est ? » demanda la voix de Kuato.

Quaid ne répondit pas. Il n'en avait pas besoin : Kuato lisait dans ses pensées.

Soudain, comme dans son rêve, il chuta. Mais comme il parvenait à cet instant où le rêve finissait, il vit ses mains empoigner le filin qui s'évidait follement du moulinet fixé à son harnais. Le choc encaissé dans les bras fut si violent, si douloureux qu'il sentit qu'il perdait connaissance. Il lutta, ses mains gantées glissant le long du fil. Il serra de toutes ses forces, déterminé à freiner sa chute, mais tout autour de lui tournoyait et il eut une vision.

Des voies de communication traversaient en tous sens la galaxie. Les parcours entre planètes exigeaient un temps à la mesure de l'infini, mais certaines des espèces peuplant l'univers prenaient néanmoins le risque d'envoyer des vaisseaux, sachant qu'ils ne verraient jamais les résultats de leurs missions, du moins de leur vivant.

La galaxie elle-même n'était qu'une myriade d'étoiles aspirées sans cesse par le trou noir qui en formait le centre.

Quaid reprit connaissance. Il était parvenu au fond du puits. Il se souvenait d'avoir eu la vision de ces vaisseaux lancés dans l'infini et d'un trou noir avalant éternellement l'univers. Mais ses mains n'avaient pas lâché le filin, le sauvant de la mort.

Il se défit du harnais, qui entravait ses mouvements. Quand il aurait terminé son exploration, il trouverait bien un moyen pour remonter et...

Melina l'avait vu chuter. Elle irait chercher de l'aide. Il aurait dû lui faire savoir qu'il était sain et sauf, et qu'il poursuivait sa mission...

Quelle était sa mission ? Sa chute l'avait plongé dans une extrême confusion. Il se concentra, et lentement le souvenir lui revint. Il devait découvrir ces vestiges d'extraterrestres, savoir ce qu'ils étaient, à quoi ils étaient destinés, et rapporter ces informations à Melina et à ses compagnons de lutte.

Il commença d'explorer l'installation d'origine inconnue dont la mystérieuse architecture se dressait tout autour de lui dans la pénombre. Il venait d'avoir un instant plus tôt la vision de vaisseaux interplanétaires, porteurs de messages adressés par les peuples des plus anciennes planètes aux peuples destinés à des formations astrales plus récentes. Etait-ce cela qu'il allait découvrir, le fabuleux héritage laissé par quelque civilisation disparue ?

Il trouva une espèce de chemin, qui n'était pas fait pour des pieds humains. La surface, rugueuse comme du papier de verre, présentait des stries semblables à celles d'un pneumatique. Il s'étirait comme un ruban, sans rampe, et Quaid devait se baisser fréquemment pour passer sous d'autres voies semblables qui tissaient comme une trame continue à travers le gigantesque complexe. Quaid, passant de ruban en ruban, se dirigea vers une zone moins obscure vers laquelle convergeaient plusieurs voies. Les créatures qui avaient conçu ce réseau devaient avoir des pattes d'insectes, comme celles des mouches, et elles n'étaient pas sensibles au vertige, car certains rubans montaient parfois presque à la verticale.

Il parvint enfin au carrefour qu'il avait repéré. Celui-ci formait une place, au centre de laquelle se dressait une massive colonne de pierre dans laquelle étaient sculptées les effigies de toutes sortes de créatures.

Il en fit lentement le tour, notant la similitude de certaines d'entre elles avec des fourmis.

Des fourmis ! Elles pouvaient grimper à la verticale, et leurs sociétés étaient très organisées. Se trouvait-il dans l'ancienne fourmilière d'une espèce extraterrestre ?

Il s'immobilisa soudain devant l'une des sculptures. C'était celle d'un homme et, à côté de lui, se tenait une femme. Une femme nue, dont la perfection des formes lui rappela Melina.

L'homme et la femme portaient leurs regards dans la même direction, et leurs visages exprimaient une attente, un espoir. Quaid suivit leurs regards, et il découvrit en bordure de la place une niche dont le contour évoquait la silhouette d'un humain, grandeur nature.

Fasciné et perplexe, il reporta son attention aux sculptures et il remarqua que les différentes espèces de créatures représentées allaient par couples, comme les bêtes dans l'Arche de Noë. Et chacune se trouvait face à une niche correspondant à sa morphologie.

Ils étaient donc là devant lui, ces voyageurs galactiques ! Mais à quoi pouvaient servir ces cabines en face d'eux ?

A permettre à chaque espèce de communiquer avec

sa lointaine base ? A échanger des informations entre elles ?

Quaid s'approcha de celle réservée à l'espèce humaine. Il entra.

Il y eut un faible éclair de lumière verte, puis un déclic, comme si quelque mécanisme venait de se déclencher. Puis une vision emporta Quaid.

En bordure de la galaxie, loin du trou noir dans lequel les planètes les plus anciennes disparaissaient une à une, de nouveaux astres se formaient à partir des poussières d'étoiles désintégrées et rejetées par le trou noir. Eternel recommencement. Certaines de ces formations nouvelles se révélaient propices au développement de la vie.

Dans le but de maintenir un niveau de connaissances égal dans la galaxie, les planètes plus anciennes, condamnées tôt ou tard à disparaître, avaient développé un système d'essaimage de leur savoir en envoyant à travers l'espace des missions d'informations destinées aux futurs peuplements. Ainsi chaque nouveau peuple pouvait-il recevoir un héritage technologique, grâce auquel il pouvait progresser et transmettre à son tour la somme de ses savoir-faire, avant de s'en aller disparaître dans le néant.

Quaid, captivé par ce cours d'histoire galactique que lui dispensait la cabine, sentait qu'il approchait du but de son expédition. Serait-il l'intermédiaire par qui serait transmis à l'espèce humaine l'immense savoir d'un des peuples les plus anciens et les plus évolués de la galaxie ?

Le peuple des No'ui était de ceux-là. Spécialistes de l'essaimage des connaissances, ils avaient expédié des missions dans de nombreux systèmes stellaires à l'intention des différentes espèces évolutives qui les peuplaient. Bâtisseurs et chimistes remarquables, leurs missions avaient toujours eu des conséquences positives sur les espèces concernées, à l'exception de l'une d'elles, dont l'évolution semblait incertaine.

Les premières observations de la planète sur laquelle

cette dernière espèce s'était développée, montraient que l'individu dominant avait le sang chaud, possédait quatre membres, s'exprimait par des sons articulés et manifestait un comportement inhabituellement agressif.

Quaid reconnut ses semblables, les « humains ». Les No'ui considéraient que l'espèce, qui acquérait rapidement un savoir technologique, pourrait entreprendre des voyages interstellaires, et donc essaimer à son tour ce savoir, dans cinquante mille ans. Mais les No'ui estimaient également que cette espèce n'avait qu'une chance sur trois d'y parvenir.

Quaid siffla sous son casque. Une chance sur trois! Les No'ui avaient piètre opinion de l'humanité! Et il devait reconnaître, malheureusement, qu'elle était fondée. Toutefois, il comprenait qu'en découvrant à quoi pouvait servir la gigantesque machinerie laissée par les No'ui, cette même humanité avait l'occasion d'assurer sa perpétuité.

Voici les No'ui, poursuivait le fascinant documentaire. L'image d'une fourmi géante apparut, confirmant la supposition de Quaid. Six membres, sang chaud, doués de télépathie, bisexués, les No'ui présentaient de nombreux caractères communs avec l'espèce humaine.

Les images suivantes montraient les No'ui au travail dans le gigantesque complexe élevé au fond de cette fosse martienne à l'échelle de l'univers. Empruntant le réseau arachnéen de rubans, chacun accomplissait une tâche précise à l'aide d'outils sophistiqués.

L'image se resserra sur l'un d'eux. Il s'appelait Q'ad, souffla à Quaid le narrateur mental. C'était un spécialiste de la démolition de certains éléments temporaires devenus sans objet. Q'ad utilisait une espèce de torche dont le rayon désintégrait le métal ou la pierre, dont les particules étaient aspirées et stockées pour un usage ultérieur. Q'ad était un mâle, fortement bâti. Il était manifeste que les No'ui avaient étudié la nature de l'homme, et qu'ils avaient conçu le programme des informations qu'ils lui destinaient dans les moindres détails. Ainsi, le nom, Q'ad, et le métier de ce No'ui étaient-ils plus accessibles à la compréhension de l'homme Quaid. Mais comment avaient-ils pu savoir qu'un dénommé Douglas Quaid, alias Hauser, serait le premier dépositaire ? Ils l'ignoraient, en vérité, mais ils avaient intégré un élément télépathique dans le programme destiné à l'homme, ce qui en disait long sur leurs capacités technologiques.

Les images continuaient de défiler dans la tête de Quaid. Q'ad était maintenant avec sa compagne, M'la. Ensemble, ils transportaient leur œuf à la couveuse centrale.

L'œuf faisait un quart de la masse corporelle de M'la. La couveuse se trouvait profondément enfouie sous le complexe. Le trajet était long, et le poids et la nature de leur charge le rendaient particulièrement pénible et angoissant, car une chute était toujours possible, même quand on possédait trois paires de pattes.

Ils étaient visiblement épuisés quand ils déposèrent l'œuf devant la reine de la nurserie. Elle le toucha de son antenne pour mesurer la période d'incubation. « Il était temps », communiqua-t-elle mentalement à M'la et à Q'ad.

« Nous voudrions assister à l'éclosion », pensa Q'ad.

« Vous savez que dans cette région, le risque d'une malformation concerne deux individus sur trois ? », demanda la reine.

« Oui, nous le savons », répondirent Q'ad et M'la. Les radiations solaires sur Mars provoquaient en effet des dégénérescences, qui avaient obligé les No'ui à s'enterrer dans le sol, dans l'attente de créer un bouclier atmosphérique.

« Alors vous pouvez assister à l'éclosion, mais vous ne pourrez intervenir lors de l'examen », pensa la reine.

« Nous comprenons », fut la réponse des parents.

La reine se retira avec l'œuf, et Q'ad et M'la se tournèrent vers la couveuse dans laquelle l'œuf venait d'être déposé. La coquille ne tarda pas à se fendre, à craquer, pour s'ouvrir enfin, et le nouveau-né No'ui en sortit, se séchant dans la vive lumière synthétique de sa planète d'origine. Celle-ci était à des milliers d'années-lumière, et personne dans cette mission ne l'avait jamais vue.

Le nouveau-né était de sexe mâle, bien proportionné, et il ne présentait aucune trace de malformation. Q'ad et M'la en furent soulagés. Ils avaient franchi le premier obstacle.

A présent, venait l'examen mental, et là, plus encore que sur le plan physique, nul défaut n'était toléré.

« Nouveau-né, quelle est ta nature ? » pensa la reine.

Le jeune No'ui, qui arpentait la couveuse avec une belle coordination de ses six pattes, répondit aussitôt, car le savoir basique de tout No'ui était inné.

« Je suis un No'ui de sexe mâle. »

« Quel est ton but ? »

« Servir le but que s'est donné mon espèce. »

« Est-ce une transformation planétaire ? »

Le jeune No'ui hésita. Q'ad et M'la attendirent, inquiets. Le transfert de savoir était-il défectueux ?

« C'est l'adaptation d'une planète hostile à une phase compatible », répondit le nouveau-né, au grand soulagement de Q'ad et de M'la.

« Etant donné une quantité suffisante d'acide hydrazoïque et d'eau, comment créeriez-vous une atmosphère composée de trois quarts de nitrogène et d'un quart d'oxygène, environ ? »

La réussite de l'examen mental dépendait de la réponse à cette question.

« Question autorisée ? »

« Autorisée. »

« Dispose-t-on de moyens pour produire une fission nucléaire ? »

« Oui. »

« J'utiliserais l'énergie provoquée par une réaction nucléaire, pour séparer le quart d'hydrogène et les trois quarts de nitrogène qui composent l'acide hydrazoïque, énonça soigneusement le jeune No'ui. Je séparerais également les deux tiers d'hydrogène et le tiers d'oxygène qui entrent dans la composition de l'eau. Cela donnerait trois volumes d'hydrogène, trois de nitrogène, un d'oxygène. Je mélangerais alors l'hydrogène à l'hélium par une réaction nucléaire permanente et je maintiendrais le nitrogène et l'oxygène dans les proportions requises. Quant au surplus d'hélium, je le stockerais sous forme solide, pour tout usage futur. »

Q'ad et M'la en dansèrent de joie ! Il avait passé les deux tiers du test. La troisième question arrivait.

« Expliquez ce concept : TUER. »

Le jeune No'ui hésita. Le frémissement de ses antennes témoignait de sa perplexité.

« Je ne peux pas », transmit-il enfin.

« Pourquoi ? »

« C'est un concept étranger à ma nature. »

Q'ad et M'la unirent leurs antennes, se félicitant de la réussite de leur descendant. Puis ils s'en furent vers leurs tâches respectives, heureux d'avoir conçu un individu conforme à leur espèce.

Q'ad fut informé qu'il travaillerait maintenant à la surface. L'expérimentation de leur fabuleuse machine à transformer l'atmosphère de Mars de façon à la rendre respirable par l'espèce terrienne aurait lieu bientôt, et certains travaux étaient nécessaires en surface. Q'ad travaillerait à la création d'espèces végétales capables de pousser dans les sables de cette planète aride. Tous deux devraient porter des combinaisons spatiales, car l'atmosphère de Mars était tout autant irrespirable que celle qu'ils s'apprêtaient à créer au bénéfice d'une autre espèce.

Puis les images suivantes furent celles de la transformation temporaire opérée par les No'ui. Des rivières s'étaient formées, une luxuriante végétation recouvrait le sol, tandis que le réacteur nucléaire maintenait la planète entière sous un climat tempéré.

L'expérience était un succès. Les hommes qui peupleraient un jour Mars pourraient y vivre normalement, s'ils mettaient en marche le générateur d'atmosphère conçu par les No'ui. Ceux-ci n'eurent plus qu'à arrêter leur expérimentation, redonner à Mars sa nature initiale, et stocker les graines des plantes partout où elles seraient dispersées, quand le générateur serait remis en marche par les hommes, des milliers d'années plus tard. L'opération de réactivation du système était des plus simples, et Quaid l'assimila facilement.

Une question, cependant, le tourmentait. Et si les hommes faisaient mauvais usage de l'outil qui leur était offert ?

Comme si l'on avait lu dans ses pensées, Quaid eut trois visions, correspondant chacune à une hypothèse. Soit les humains utilisaient le réacteur comme prévu par les No'ui, soit ils n'en faisaient pas usage, par prudence ou ignorance, et l'humanité retardait d'une éternité son progrès, soit un usage agressif en était fait, auquel cas le générateur s'autodétruirait, provoquant en même temps la destruction de la planète entière.

« Allez porter le message à votre espèce, D'gls Q'ad H'sr. Faites-lui comprendre que le choix lui appartient. Nous, les No'ui, avons accompli notre mission. »

Quaid resta un long moment immobile dans la cabine après que la communication eut pris fin. Il avait appris à quoi servait ce fabuleux complexe souterrain, et comment le remettre en activité. Il savait aussi qu'il était désormais l'émissaire des No'ui.

22

TRAHISON

QUAID comprenait bien des choses, à présent. Cependant, il pressentait un danger, un immense danger, dont la nature lui échappait. Les hommes de Cohaagen l'avaient-ils capturé à l'intérieur du complexe extraterrestre ? Dans ce cas, que leur avait-il révélé ?

Poursuivant son exploration des installations, il découvrit une étendue de glace, perforée par des centaines de trous. Levant les yeux, il vit une longue pièce métallique suspendue au-dessus des perforations. Reliée à un bras articulé, elle pouvait s'enfoncer dans les trous, et jouer probablement le rôle d'un percuteur, provoquant la mise en marche du système.

Kuato n'avait pu prendre connaissance du message des No'ui, qui savaient évidemment se protéger contre les télépathes, même cinquante mille ans après l'enregistrement dudit message. Mais, maintenant, Kuato pouvait à nouveau explorer le complexe en compagnie de Quaid.

« Un réacteur nucléaire ! s'exclama-t-il. Pour fabriquer une atmosphère ! Continue de chercher, Quaid. Il doit y avoir une salle de contrôle. »

Quaid, capable de se déplacer par sa seule pensée, découvrit promptement une salle équipée de consoles électroniques et de tout un appareillage complexe. Il s'approcha d'un mur de pierre, dont les No'ui lui avaient révélé la fonction. Oui, il savait comment mettre en marche le générateur. Mais il répugnait à en faire part à Kuato, pas du tout par méfiance à l'égard du mutant, mais par l'obscur sentiment que quelque chose ne collait pas.

Une grande figure concentrique, représentant le cosmos, avait été sculptée dans la pierre. Elle était couverte de signes étranges. Quaid reconnut l'écriture des No'ui. Il était même capable de la traduire pour Kuato, mais de nouveau il préféra se taire.

Une main — une main d'homme — occupait le centre du mandala que formait le dessin concentrique. Kuato remarqua la main sculptée dans la pierre, mais il n'en comprit pas la fonction.

« Comment met-on en marche le système ? demanda-t-il. Réfléchissez, Quaid ! »

Mais Quaid ne répondit pas ; il contemplait la main, et il n'avait pas besoin de réfléchir pour savoir comment on faisait marcher le transformateur d'atmosphère.

Soudain, la main se mit à vibrer, et un sourd grondement emplit la salle. Quaid rouvrit les yeux. Le bruit n'appartenait pas à son exploration mentale !

Des débris tombaient du plafond, les murs se fissuraient, le sol tremblait, et brusquement un excavateur de galeries de mine troua la paroi et surgit dans le vrombissement de son énorme drille. Quaid bondit de sa chaise, tandis que George, tiré de sa léthargie, se hâtait derrière lui en reboutonnant sa chemise.

Dans la salle voisine, le chaos régnait. Un autre engin avait percé à travers les catacombes, ouvrant le passage à une cinquantaine de soldats mitraillant les rebelles, surpris par la soudaineté de l'attaque.

— Où est Kuato ? leur cria un rebelle par-dessus le vacarme. Une explosion se produisit, projetant les trois hommes à terre. Quaid aida George à se relever. Le rebelle, lui, était mort.

Melina et Benny réussirent à rejoindre Quaid. George avait déchiré sa chemise en tombant, et ils ouvrirent de grands yeux stupéfaits en découvrant la tête velue de Kuato. Mais il n'y avait pas de temps à perdre en explications.

— Par ici ! cria George en les entraînant par une porte dérobée dans une galerie. Des soldats tentèrent de s'interposer, mais Melina les abattit d'une rafale de son pistolet-mitrailleur. Benny et Quaid s'emparèrent chacun d'une arme sur les soldats et ils s'enfuirent par un dédale de salles et de souterrains jusqu'à ce qu'ils parviennent à une lourde porte blindée dont George connaissait la combinaison. Quaid, qui couvrait leurs arrières, franchit la porte en dernier, et il la refermait, quand une rafale éclata... dans son dos !

Il se retourna d'un bond et vit Benny qui criblait George de balles. Le traître ! Kuato l'aurait déjà découvert s'il avait pu lire dans les pensées de Benny.

Avant que Quaid n'intervienne, Benny se jeta sur Melina, et lui appuya le canon de son arme contre la tempe.

— Bouge pas ! cria-t-il à Quaid. Merci à vous deux, de m'avoir présenté le grand Kuato en personne !

Quaid ignora le sarcasme. Penché au-dessus du corps de George, il guettait un signe de vie. Si seulement Kuato vivait encore, il pourrait intervenir mentalement sur Benny, le paralyser ne serait-ce qu'une seconde...

— Laisse tomber, Quaid, dit Benny. Il ne dira plus jamais la bonne aventure.

La tête de Kuato pendait, tel un poids mort. George avait les yeux vitreux, et il avait cessé de respirer.

— Je ne m'attendais pas à ça d'un mutant, dit Melina avec mépris.

Benny eut un sourire suffisant. Il révéla le petit émetteur dissimulé dans sa main artificielle.

— Ça peut servir d'être un mutant, dit-il. Et puis, c'était fastoche, non ? Personne ne m'a fouillé, et le fameux Kuato avait peut-être un pouvoir psychique, mais il n'était pas très malin, et ses hommes encore moins. C'était un jeu d'enfant que d'infiltrer les rebelles. Et maintenant, les mains sur la tête, vous deux ! commanda-t-il, soudain brutal.

Quaid se résigna à obéir, et Benny, serrant Melina contre lui, alla jusqu'à la porte et, d'un coup de pied, releva le verrou intérieur. Quaid suivait le moindre de ses mouvements, guettant l'erreur, mais Benny restait vigilant. En bon professionnel, il connaissait son métier.

Soudain il perçut un chuchotement à ses pieds. Les lèvres de Kuato remuaient faiblement. Quaid se pencha pour l'entendre.

— Réactivez le générateur, Quaid... Libérez Mars...

Quaid fit un bond en arrière, tandis que la tête de Kuato éclatait sous une volée de balles ! Melina étouffa un cri. Richter, depuis le seuil, pointait sur lui un fusil automatique.

— Vas-y, bouge donc, dit-il à Quaid. Pour me faire plaisir.

Quelques minutes plus tard, Quaid et Melina étaient ligotés et jetés dans un véhicule.

— Je suis désolé, dit Quaid par-dessus le bruit du moteur. Sans moi, Benny n'aurait jamais pu approcher Kuato.

— Mais c'est moi qui vous ai fait entrer, dit-elle. J'ai eu tellement peur que...

— ... ce soit moi, le traître, acheva-t-il pour elle. Je sais. Je ne me souviens plus très bien de ce que nous étions l'un pour l'autre au début mais, quand je suis tombé dans le puits, j'ai su que je t'aimais. La dernière image que j'emportais de toi n'a cessé par la suite de hanter mes nuits. Cohaagen n'en savait rien ou bien il comptait l'effacer avec le reste de mes souvenirs.

— Moi aussi, je n'arrivais pas à t'oublier, dit Melina. J'avais des doutes sur ta sincérité et en même temps...

— Il faut croire que nous étions faits l'un pour l'autre. Tu sais, je ne sais plus quand et comment ils m'ont capturé, quand je me trouvais dans le complexe extraterrestre, mais grâce à Kuato je me souviens du message des No'ui.

— Les quoi ?

— Une espèce étrangère à notre système solaire. Ce sont eux qui sont venus des confins de l'espace pour apporter un progrès décisif pour l'avenir de l'humanité. A la condition que nous nous montrions raisonnables, ce qui me paraît de plus en plus incertain. Mais... (Il pensa à autre chose...) Sais-tu ce qu'est l'acide hydrazoïque ?

— C'est un acide liquide, fortement explosif, incolore et toxique. J'en ai reniflé une fois. Affreux !

— Les No'ui savent comment l'utiliser pour fabriquer un air qui soit respirable. En le mélangeant avec de l'eau, et puis... je ne sais plus trop quoi. Mais ça te paraît possible ?

— Je ne suis pas chimiste, mais je doute qu'on puisse jamais rendre respirable l'atmosphère de cette planète !

Quaid soupira. Il ne pouvait reprocher ses doutes à Melina. Lui-même se contentait seulement d'espérer que les No'ui savaient ce qu'ils faisaient.

L'engin cahotait dans les souterrains. Cohaagen devait les attendre avec impatience. Quaid, lui, n'était pas pressé de le rencontrer.

23

PIRE

LE lendemain matin, toujours ligotés, mais n'ayant subi aucun sévice, au grand étonnement de Quaid, ils furent emmenés auprès de Cohaagen. Quaid savait quc celui-ci ne reculerait devant rien pour le faire parler. Cohaagen n'avait probablement pas découvert le centre de communications installé par les No'ui dans les profondeurs du complexe.

« Portez notre message à votre espèce... Dites-lui que le choix leur appartient, désormais. » Non, ce n'était pas à un être aussi maléfique que Cohaagen qu'il transmettrait pareil message. Le tyran ferait du générateur son instrument pour parvenir à un pouvoir absolu sur Mars, la Terre, et toutes les planètes accessibles à l'intérieur du système solaire. Ce que Cohaagen ignorait, c'est que les installations exploseraient, si jamais il en était fait un usage différent de celui qu'ils avaient programmé. Quaid se souvenait que les No'ui avaient illustré cette dernière hypothèse par une nova, dont le rayonnement détruirait toutes choses à la ronde.

Non, même si Melina devait être torturée devant lui — il frémit à cette idée — il ne parlerait pas.

Quaid fut tiré de ses pensées par l'arrivée de quatre hommes transportant un cadavre, qu'ils déposèrent sur la grande table de conférence. C'était celui de George, la tête ridée de Kuato émergeant de sa poitrine.

Cohaagen jeta un regard méprisant au mutant.

— Alors, c'est ça, le grand chef! s'exclama-t-il, provoquant les gloussements de Richter et de Benny, tout à la fierté d'avoir réussi à éliminer les rebelles et leur chef. Pas étonnant qu'avec une tête pareille, il se soit caché. Il se détourna du cadavre, fit signe aux quatre hommes de remporter le corps. Quand ils furent partis, non sans avoir soigneusement essuyé la table, Cohaagen s'approcha de Quaid, assis sur une chaise entre Richter et Benny.

— Félicitations, Quaid, dit-il en lui donnant une tape sur l'épaule. Vous êtes un héros.

— Allez vous faire foutre, répondit Quaid.

Mais Cohaagen ne s'en irrita pas. Au contraire, il sourit.

— Allons, pas de fausse modestie, dit-il. Kuato est mort, la Résistance complètement anéantie, et c'est à vous que nous le devons.

Quaid vit le doute se rallumer dans les yeux de Melina.

— Il ment, lui dit-il.

Cohaagen se tourna vers la jeune femme.

— Ne lui en voulez pas, ma belle. Il n'en savait rien lui-même. (Il sourit de nouveau.) C'était ça, l'astuce.

Melina et Quaid levèrent ensemble les yeux vers lui. De quoi parlait ce monstre ?

— Voyez-vous, Quaid, feu Mr Kuato avait le don de repérer tous nos espions, continua Cohaagen. Nous ne lui connaissions pas ce talent de télépathe, mais le fait est que pas une seule de nos taupes ne réussissait à s'infiltrer chez les rebelles. Alors Hauser et moi, nous avons réfléchi, et nous nous avons inventé, vous, le parfait espion.

— Vous mentez, dit Quaid. Hauser s'est retourné contre vous.

— C'est ce que nous avons voulu que vous pensiez. En vérité, Hauser s'est porté volontaire pour qu'on efface sa mémoire et qu'on le reprogramme. Il l'a fait après qu'il eut échoué à rencontrer Kuato lors de son premier contact avec la Résistance. Cette salope... Il désigna Melina d'un geste de la main... Elle ne l'avait jamais emmené dans les catacombes. Elle l'a conduit directement à la Pyramide, où il était censé explorer ce mystérieux gouffre. Quand elle l'a vu tomber, elle n'est pas retournée voir Kuato mais a regagné directement son poste à La Dernière Chance. C'était un coup pour rien. Ils n'avaient pas confiance en Hauser, et il nous fallait donc trouver un autre moyen.

— Dites donc la vérité, protesta Quaid, écœuré. Il désigna Richter d'un mouvement de tête. Il a essayé de me tuer, dès que je suis sorti de Souvenance. Harry aussi, et Lori, quand j'étais encore là-bas, sur la Terre. On ne tue pas celui qu'on veut utiliser.

— C'était une initiative signée Richter, dit Cohaagen. Quant aux autres, ils étaient sous ses ordres.

— Mais comment se fait-il que je sois encore en vie ?

— Richter ne boxe pas dans la même catégorie. Et nous vous avons fourni une aide. Benny, qui est ici...

Benny s'inclina vers Quaid avec un sourire moqueur.

— C'était de bon cœur, monsieur.

— L'homme qui vous a remis le sac, poursuivit Cohaagen. Cette trousse de médecin contenait de bons remèdes.

Quaid ne pouvait accepter ça une minute de plus.

— J'en crois pas un mot. Trop parfait pour être honnête.

— Vous faites sauter votre capsule mémorielle, avant que nous puissions vous remettre en activité. Stevens se fait descendre tout de suite après avoir établi le contact. Et dans le même temps, Richter fout en l'air tout ce que je préparais depuis des mois. (Il jeta un regard furieux à Richter, qui baissa les yeux.) Je me demanderai toujours comment, avec un pareil handicap, j'ai pu réussir.

Quaid était forcé de reconnaître que, s'il avait été un agent fidèle à Cohaagen, il aurait pu abandonner le contact établi avec Melina, puisque celle-ci ne semblait pas décidée à le mener jusqu'à Kuato, en simulant une chute et en attendant que les hommes de Cohaagen le « capturent ». Il aurait alors suivi le plan subtil, que Cohaagen et lui-même avaient concocté.

Pourtant il s'était produit deux faits inattendus. Il avait pris conscience de son amour pour Melina, un amour plus vivace que jamais, et... il avait découvert le message des No'ui. Et cela avait tout changé !

Mais pourquoi se serait-il porté volontaire pour une mission qui présentait tant de risques pour lui-même (sans compter l'acharnement de Richter à vouloir le tuer) ? Pour en arriver là, à trahir une femme qu'il aimait de tout son être et pour trahir les No'ui, qu'il admirait et respectait profondément ? Cela n'avait pas de sens. Cohaagen mentait, comme il l'avait toujours fait.

— Je dois l'avouer, Cohaagen, dit-il, feignant de s'incliner. Un plan aussi vicieux n'est pas surprenant de votre part.

— Vous n'êtes pas obligé de me croire, Quaid, mais j'ai là un ami à vous qui voudrait vous parler.

— Attendez, laissez-moi deviner, dit Quaid.

Cohaagen se tourna vers un écran vidéo, et Hauser apparut. Tel qu'il s'était montré sur le vidéodisque précédent.

« Salut, Quaid. Si tu me vois et m'écoutes en ce moment même, alors c'est que, grâce à toi, Kuato est mort. Je savais que tu ne me laisserais pas tomber. » Il eut un rire cynique, qui ne ressemblait pas au Quaid présent. « Désolé de t'avoir fichu dans une galère pareille, mais après tout, tu n'es qu'un programme. »

Quaid était ébranlé. Comment nier que Hauser s'était porté volontaire pour cette mission !

« J'aurais aimé te souhaiter une bonne et longue vie mais, vois-tu, c'est ma peau que tu portes sur le dos et... j'aimerais bien la récupérer. »

Quaid frissonna. Si Hauser avait prêté son corps à une personnalité fabriquée du nom de Quaid, l'opération inverse était réalisable. Hauser redeviendrait Hauser.

« Désolé, l'ami, mais ce n'est que justice. J'étais là, le

premier, non ? Adieu donc, mon ami, et merci d'en être sorti vivant. » Il eut un sourire qui se voulait bienveillant envers le vaincu. « Qui sait ? Nous nous rencontrerons dans nos rêves. »

Fin du message. Quaid et Melina échangèrent des regards désolés, à la pensée qu'ils avaient tous deux été trahis.

Mais Hauser avait aimé Melina, et cet amour avait hanté les rêves nocturnes de cet alter ego baptisé Quaid. Quant au message des No'ui...

Alors il comprit. Hauser avait mesuré tout le danger qu'il y avait de transmettre le message à Cohaagen, mais comment y échapper, alors qu'il travaillait pour le tyran ? Il savait que Cohaagen n'hésiterait pas à s'emparer de Melina et à la torturer jusqu'à ce qu'elle lui dise où se cachait Kuato. Aussi il lui fallait trouver le moyen de sauver Melina et de garder secret le message des No'ui. Jusqu'à ce qu'il trouve l'occasion de le transmettre à ceux qui sauraient en faire bon usage.

C'est pourquoi il s'était porté volontaire pour une mission qui garantissait à Melina la vie sauve, puisqu'elle était la clé qui permettrait à Quaid de remonter jusqu'à Kuato, et qui supprimerait également le message des No'ui de sa mémoire ! Il avait raconté à Cohaagen avoir trouvé des vestiges extraterrestres sans autre intérêt que commercial et archéologique, ce qui avait incité le cupide Cohaagen à fermer l'accès de la Montagne de la Pyramide ! Enfin il avait espéré que Quaid se souviendrait des No'ui, sans que Cohaagen puisse investir les catacombes. Sans Hauser, il aurait réussi.

Et maintenant, s'ils projetaient de redonner à Hauser toute sa mémoire, ils découvriraient sa machination. Cohaagen, débarrassé des rebelles, ne verrait plus de limites à ses rêves de conquête.

Quant à Melina, elle ne saurait jamais ce que Hauser avait tenté de faire. Cette pensée était plus douloureuse encore que le fait d'avoir échoué de si peu.

24

RUPTURE

PEU de temps après, Quaid et Melina se retrouvèrent immobilisés dans les fauteuils de la salle d'implantations mémorielles. Cohaagen était là, observant le médecin et ses six assistants préparer la procédure de reprogrammation. Ils avaient déjà posé à Melina une aiguille de perfusion. Tous ses muscles bandés, Quaid força en vain sur ses sangles, tandis qu'un assistant insérait une aiguille au dos de sa main.

— Du calme, Quaid, dit Cohaagen. Vous serez bien content d'être redevenu Hauser.

— Ce type est un sale con ! grogna Quaid.

— Juste, dit Cohaagen. Mais il possède une grande maison et une Mercedes. Et Melina vous plaît bien, non ? Vous pourrez la baiser autant que vous en aurez envie, parce qu'elle sera Mme Hauser. Une épouse docile et aimante, car c'est ainsi que nous allons la reprogrammer.

Quaid et Melina échangèrent des regards horrifiés. Ce qu'il aimait en Melina, c'était son courage, sa fierté, son indépendance. Et il était pris de nausée à la pensée qu'ils pouvaient la transformer en gentille poupée. Autant la lobotomiser, pour la différence que ça ferait !

Le vidéophone sonna. L'un des assistants répondit.

— Monsieur, dit-il à Cohaagen. C'est pour vous.

Cohaagen se tourna avec impatience vers l'écran, sur lequel on pouvait voir un homme au visage inquiet, le dos tourné à un mur de jauges et de voyants de contrôle.

— Oui ? aboya Cohaagen.

— Le niveau d'oxygène approche du zéro dans le secteur G, répondit le technicien. Que dois-je faire, monsieur ?

— Rien du tout, dit Cohaagen.

— La population ne tiendra pas une heure de plus, fit remarquer l'homme.

Cohaagen pressa l'une des touches du vidéophone, et apparurent trois vues des bas quartiers de Vénusville. Partout on voyait des gens prostrés devant les portes des maisons ou gisant sur les trottoirs, la bouche ouverte, cherchant leur souffle. Horrifiée, Melina détourna les yeux, tandis que Quaid forçait de nouveau sur ses liens. Il fallait qu'il se libère ! Que cesse cette folie !

Cohaagen reprit la communication avec le technicien.

— Eh bien, dans ce cas, nous n'aurons pas à attendre trop longtemps, conclut-il, avant d'éteindre l'écran.

— Ne soyez pas stupide, Cohaagen ! cria Quaid. Donnez-leur de l'air !

— Mon ami, dans cinq minutes, vous vous en ficherez autant que moi, de cette racaille du secteur G. (Cohaagen se tourna vers le médecin.) Allez-y.

L'homme abaissa aussitôt un casque hérissé d'électrodes sur la tête de Melina. Puis il passa à Quaid, et il s'apprêtait à en faire autant quand Richter l'interrompit.

— Euh... excusez-moi, doc... mais quand il sera redevenu Hauser, est-ce qu'il se souviendra de tout ça ?

— Certainement pas, l'assura le docteur.

— Merci, dit Richter et, de toutes ses forces, il frappa Quaid au visage.

Quaid encaissa durement. Des étoiles dansèrent devant ses yeux.

— T'as décidément beaucoup de courage, Richter, jeta-t-il avec mépris à la brute qui souriait.

Cohaagen écarta brutalement Richter.

— Désolé, Quaid. Mais vos misères seront bientôt finies, et nous redeviendrons tous amis.

Le médecin mit en marche le générateur de mémoire. L'appareil émettait un horrible bruit strident comme une fraise de dentiste. Cohaagen se dirigea vers la porte, Richter sur ses talons. Avant de sortir, il se retourna vers Quaid.

— A propos, je donne une petite fête à la maison, ce soir. Passez-donc avec Melina, disons vers neuf heures ?

Comme Quaid l'ignorait obstinément, Cohaagen s'adressa au médecin.

— Doc, faites en sorte qu'il se rappelle mon invitation.

— Vous pouvez compter sur moi, répondit l'homme en s'affairant au-dessus de sa console.

La porte se referma sur Cohaagen et Richter, et le bruit dans le laboratoire s'amplifia, tandis que les premières impulsions pénétraient les cerveaux des deux patients.

Quaid et Melina luttaient comme ils le pouvaient. Le sentiment qu'on violait leur âme même les révoltait au point qu'ils sentaient leur raison vaciller. Quaid tirait sur les sangles lui immobilisant les bras et les chevilles, jusqu'à s'écorcher la peau, en même temps qu'il combattait mentalement, s'accrochant désespérément à la conscience qu'il avait d'être encore lui-même.

— Ne résistez pas, dit le médecin. Ça ne fera qu'aumenter la douleur.

Quaid vit Melina se débattre vainement de son côté. Les larmes ruisselaient sur le visage de la jeune femme. Il força de nouveau sur ses liens, ébranlant le lourd fauteuil.

— C'est une opération délicate, Mr Quaid, reprit le médecin. Si vous ne restez pas tranquille, vous allez finir schizophrène.

Tant mieux si cela pouvait les empêcher de découvrir le message des No'ui, pensa-t-il. Mais rien n'était moins sûr. Il força derechef sur les sangles. Elles ne cédèrent pas, mais les rivets assemblant les différentes parties du fauteuil commençèrent à jouer.

— Augmentez la dose de calmant, ordonna le médecin à un assistant.

Quaid savait que c'était sa dernière chance. Mais que pouvait-il faire de plus ?

No'ui ! No'ui ! appela-t-il en lui-même. Aidez-moi !

Soudain, il sentit une nouvelle énergie lui venir du tréfonds. Le bruit et la douleur s'amplifiaient, mais sa force également. Il banda ses muscles et poussa un long cri.

Le cri couvrit le bruit strident de la machine et culmina au moment où, libérant toute son énergie, Quaid arracha l'accoudoir droit de son fauteuil, qui resta sanglé à son bras comme un gros patin à glace.

Il arracha aussitôt l'aiguille de perfusion plantée dans sa main gauche. Le médecin se jeta sur lui pour lui immobiliser le bras et reçut en pleine gorge la pointe effilée de l'accoudoir.

Les assistants se ruèrent sur lui. L'un lui saisit le bras, mais Quaid parvint à lui prendre le cou en tenaille. Il serra, lui brisant net les vertèbres. Libéré de son assaillant, il arracha le casque de sa tête, libérant son cerveau d'ondes honnies.

Le deuxième assistant l'avait attaqué par-derrière. Quaid, l'empoignant de sa main libre par les cheveux, le fit passer par-dessus son épaule, lui coinça le crâne entre ses genoux et pressa. L'autre s'effondra à ses pieds, le crâne fendu comme une noix.

Quaid put libérer son poignet gauche. Il avait les deux mains libres, à présent. Il vit Melina qui continuait de résister à son lavage de cerveau.

— Tiens bon, Melina, lui cria-t-il.

Trois des six assistants essayaient de l'immobiliser, tandis que le quatrième, armé d'une longue perche métallique, fonçait sur lui. Quaid attira l'un de ses assaillants devant lui, s'en servant comme d'un bouclier. La perche s'enfonça dans l'œil du malchanceux, horrifiant ses collègues. Quaid mit à profit leur stupeur pour libérer l'une de ses chevilles.

Il frappa aussitôt le plus proche adversaire, là où Lori

savait s'y bien le faire. Crucifié de douleur, l'autre s'écroula en se tenant l'entre-jambes.

Quaid se leva. Une jambe encore immobilisée, il fit face aux deux qui restaient, l'un armé de la perche, l'autre d'une hache d'incendie. Quaid esquiva un coup de hache, se saisit de la perche, et se baissa rapidement pour se défaire de son dernier lien. La hache s'abattit de nouveau, mais il l'évita de justesse. Enfin libre de ses mouvements, il embrocha celui qui tenait la perche avec sa propre arme, puis il se précipita auprès de Melina pour lui enlever son casque.

Le dernier assistant fit ce qu'il aurait dû faire dès le début : déclencher l'alarme et fuir. Il eut le temps pour la première, mais il n'était plus qu'à deux mètres de la porte quand Quaid fut sur lui et le propulsa la tête la première contre le lourd battant métallique. L'homme s'écroula en laissant une traînée de sang sur la porte.

— Ça va ? demanda Quaid, rejoignant Melina en deux bonds pour la libérer de ses entraves.

Elle hocha la tête.

— Mais tu te sens... toi-même ? demanda-t-il, inquiet.

— Je ne sais pas, mon chéri, répondit-elle d'une voix d'enfant sage. Qu'est-ce que tu en penses ?

Quaid pâlit. Melina était devenue...

— Allez, filons d'ici ! dit-elle soudain avec force, et elle le rassura d'un sourire, comme il la regardait avec stupeur... de joie, cette fois.

L'instant d'après, ils déboulaient dans le couloir. Les alarmes hurlaient dans tous les coins. Deux soldats tentèrent de les arrêter. Melina, qui s'était emparée de la hache, abattit le premier, tandis que Quaid neutralisait le deuxième d'un coup de perche. Ils s'emparèrent de leurs armes et coururent aux ascenseurs, pressant les boutons d'appel, conscients des mauvaises surprises qui les guettaient.

La première ne tarda pas. Un appareil s'arrêta à leur étage, la porte coulissa... révélant une douzaine d'hommes en armes à l'intérieur.

Quaid les arrosa d'une longue rafale, tandis que Melina pressait le bouton de renvoi. La porte se referma sur le carnage.

L'autre appareil arriva. Vide ! Ils s'y engouffrèrent.

Pendant que l'ascenseur redescendait, Quaid se tourna vers Melina.

— Au cas où nous n'aurions pas une autre occasion de nous parler, je voudrais que tu saches que...

Elle se rapprocha de lui et le fit taire d'un baiser.

— Je sais, murmura-t-elle, s'écartant de lui à contrecœur.

— Mais ce vidéodisque de Hauser...

— Cet Hauser-là m'aimait déjà, et c'était Cohaagen qu'il trahissait, pas moi, ni toi.

— Oui, dit Quaid. Il t'aimait comme je t'aime, mais...

— Mais pas au point de trahir le peuple de Mars et de l'abandonner à la tyrannie de Cohaagen, dit-elle.

— Oui, mais...

— Plus tard, dit-elle sèchement, alors que l'appareil s'immobilisait au rez-de-chaussée.

Personne ne les attendait en bas. Les hurlements des sirènes avaient plongé la partie haute de Vénusville dans la panique. Dans les rues, des véhicules de sécurité passaient en trombe, des soldats stationnaient aux carrefours, surveillant la foule des touristes se hâtant de regagner leurs hôtels.

Quaid et Melina échangèrent un regard. Avec un peu de chance, ils pourraient s'éclipser sans être vus. Ils sortirent sur le trottoir, se mêlant aux piétons se dépêchant de se mettre à l'abri. Ils n'avaient pas fait vingt mètres qu'une patrouille de soldats les repérait et ouvrait immédiatement le feu.

Ils coururent. Quaid sauta sur un excavateur de mine, qui passait dans le vrombissement de son énorme moteur. Il vida le chauffeur de son siège et s'installa au volant.

— Melina ! appela-t-il, la cherchant du regard.

— Je suis là, répondit une voix derrière lui.

Il tourna la tête. Elle était déjà sur le siège arrière.

Quaid accéléra brutalement, le lourd véhicule bondit, fonçant devant lui, éparpillant les soldats.

Cohaagen, debout devant la vaste baie de son bureau, contemplait d'un air sombre les dômes translucides. L'aube approchait. Dans la ville haute, les sirènes continuaient de mugir.

Richter se tenait à quelques pas derrière lui, attendant nerveusement la décision du maître.

— Alors, monsieur ? se risqua-t-il à demander.

Cohaagen resta silencieux pendant un long moment encore avant de répondre :

— Tuez-le !

— Il était temps, marmonna dans sa barbe Richter en tournant les talons. Il se hâta de sortir.

S'il avait pensé que Cohaagen ne l'avait pas entendu, il se trompait. Sa petite phrase arracha une grimace à Cohaagen. Si Richter ne s'était pas acharné contre Hauser, celui-ci se serait moins attaché à sa nouvelle identité, et la reprogrammation de Quaid n'aurait posé aucun problème. Quand Richter aurait accompli sa sale mission, ce serait à son tour de disparaître. Oui, il était temps, pensa Cohaagen, que sa gueule de tueur disparaisse à jamais du paysage !

Pris de fureur, Cohaagen balaya de la main le petit aquarium sur son bureau. Le verre se brisa, l'eau se répandit, et le poisson rouge frétilla sur le parquet, la gueule ouverte, s'asphyxiant lentement.

Calmé, Cohaagen décrocha un téléphone. Il avait toujours soupçonné Hauser de lui avoir caché la vérité au sujet des vestiges laissés par les extraterrestres. A présent, ses soupçons étaient devenus une certitude.

— Rassemblez les équipes de démolition, ordonna-t-il au téléphone.

Puis il se tourna de nouveau vers la baie. Ça ne lui plaisait pas de détruire Hauser et ce que contenait le puits de la Pyramide. Les deux lui auraient été bien plus utiles en d'autres circonstances. Mais la sécurité primait en toutes choses. Il s'était fait un petit empire, ici, et il entendait bien le conserver.

25

RÉACTEUR

— CONNAIS-TU le chemin de la Pyramide en partant d'ici ? demanda Quaid sans ralentir.

— Oui, répondit Melina. Tourne à droite, au prochain carrefour.

Il vira sèchement et s'engagea dans une large galerie souterraine, écrasant l'accélérateur.

— Il faut arriver là-bas avant Cohaagen, dit-il. Il va sûrement détruire le réacteur.

— Non ? s'exclama, horrifiée, Melina.

— Si Mars a une atmosphère respirable, Cohaagen est fini.

— Et nous, le peuple de Mars, nous serons libres !

— Oui, nous serons libres, répéta-t-il. Mais il y a plus. Les No'ui...

— Quoi ?

— Je n'ai jamais eu le temps de te le dire, et de toute façon, cela aurait été imprudent, tant que Cohaagen te tenait, dit-il. J'ai... du moins, Hauser, quand il est descendu dans le puits, a fait plus que t'abandonner. Il...

— M'abandonner ? demanda-t-elle, étonnée.

— Hauser était un espion. Il t'avait utilisée. Il a feint une chute, de façon à passer pour mort ou prisonnier de Cohaagen. Sa mission était terminée, car il n'avait pas obtenu de toi ce qu'il cherchait... Kuato. Mais...

— Je sais tout cela, à présent. Tu n'as pas à te justifier.

— Non, tu ne sais pas tout. Hauser était le bras droit de Cohaagen. Il était un tueur froid, cynique, jusqu'au jour où tu es entrée dans sa vie. Tu lui as montré ce que c'était que de croire à une cause, de se battre pour le bien. Il a appris à t'admirer et à te respecter, mais il est tout de même resté celui qu'il était, un homme de Cohaagen, jusqu'à ce qu'il se retrouve au fond de cet abîme dans la Mine de la Pyramide. C'est là qu'il a réalisé qu'il ne pouvait pas te trahir parce qu'il t'aimait. Alors il a commencé d'explorer le complexe, comme toi et les tiens l'en aviez chargé. Et il a rencontré les extra-terrestres.

Elle se tourna vers lui avec stupeur.

— Il a rencontré des...

— Pas eux, mais le message qu'ils avaient laissé aux hommes. Ce sont les No'ui, une espèce intelligente avec une morphologie de fourmi, qui ont bâti pour nous ce complexe destiné à rendre respirable pour un humain l'atmosphère de Mars. Et pas seulement pour ça, mais aussi pour nous faire partager leur technologie, pour que nous devenions à notre tour une espèce comme la leur, diffusant ses connaissances à travers la galaxie.

— Des missionnaires, en quelque sorte, dit Melina.

— Exactement. Et Hauser en a été bouleversé. C'était lui qui se retrouvait chargé par les No'ui de transmettre à ses semblables la nature des installations et l'usage qui devait en être fait. Parce que si nous l'utilisons dans un but pacifique, nous pourrons un jour être nous-mêmes utiles à d'autres espèces de la galaxie, mais si nous en faisons un mauvais usage ou que nous voulions détruire...

— Le complexe s'autodétruirait ! s'exclama Melina.

— Oui. Si nous suivons les instructions, telles que les No'ui nous les ont données, ce sera le bonheur pour tous. Sinon, je suppose que les centaines de milliers de tonnes d'acide hydrazoïque qui sont emmagasinées sous la glace exploseront.

— Personne sur toute la surface ne sortirait vivant d'un tel cataclysme !

— Oui, les No'ui ne plaisantent pas. Ils pratiquent eux-mêmes une sélection sévère parmi eux, euthanasiant tout nouveau-né malformé. Si Cohaagen essaye de détruire le complexe, nous mourrons tous.

— Et ce sont ces No'ui qui ont converti Hauser à la bonne cause ?

— Disons qu'ils ont complété ce que tu avais commencé, dit Quaid. Hauser ne pouvait supporter que tu sois torturée, ce que Cohaagen se serait hâté de faire, pour que tu révèles la cachette de Kuato. Mais il ne pouvait non plus informer Cohaagen de la véritable nature de l'installation extraterrestre. Cohaagen se doutait bien que celle-ci devait servir à fabriquer de l'air ; aussi s'empressa-t-il de boucler le secteur, afin de garder le monopole des dômes. Mais s'il avait su que le complexe était en fait un trésor de technologies, qui lui auraient donné un pouvoir mille fois supérieur, alors il...

— Il aurait entrepris la conquête de la Terre.

— Oui, et Hauser savait tout cela. Il savait aussi que Cohaagen soumettait régulièrement tous ses agents à des examens mémoriels. Il y avait donc un risque que tôt ou tard le secret des No'ui n'en soit plus un...

— C'est à ce moment-là que Hauser s'est porté volontaire pour une nouvelle mission, conclut Melina.

— Oui, une mission qui te sauvait, et avec toi, le générateur d'atmosphère. Mais, maintenant...

— Maintenant, nous sommes deux, dit-elle. Il faut qu'on arrive là-bas et qu'on active ce truc avant que Cohaagen le détruise.

— Et puis s'assurer de sa mort, dit Quaid. Comme ça, il ne pourra pas se faire passer pour celui qui a rendu Mars habitable, et en rester le maître. Mais pour l'instant, nous risquons plus que lui d'y laisser notre peau.

— Kuato et ses hommes ont donné leur vie, dit Melina, l'air grave. Je suis prête à en faire autant.

— Il y a une radio sur cet engin ? demanda-t-il.

Melina brancha l'appareil sous le tableau de bord.

Elle chercha sur les différents canaux utilisés pour les communications privées, mais ne capta aucun appel provenant des différentes unités aux ordres de Cohaagen.

— Rien, dit-elle. Ils maintiennent le silence radio, pour que personne ne sache ce qui se passe.

— Dans ce cas, ils ne peuvent coordonner leurs forces pour nous couper la route, dit-il avec satisfaction.

Elle tomba sur une station diffusant des informations.

« ... Les astronomes viennent de découvrir une nouvelle nova “ inexplicable ”. Ce qui porte leur nombre à sept. Selon les scientifiques, il s'agit là d'un phénomène tout à fait étrange, car ces novae ne correspondent pas à des formations connues... »

Quaid tressaillit soudain.

— C'est pas vrai ! s'écria-t-il.

— Qu'y a-t-il ? demanda Melina, inquiète.

— Ces... ces novae... elles sont artificielles, dit-il. Voilà pourquoi elles sont apparemment inexplicables. Elles sont créées de toutes pièces, de la même façon que les No'ui peuvent transformer une planète entière !

— En admettant que des extraterrestres puissent changer une étoile en nova, quelle importance cela a-t-il pour nous ?

— Je te l'ai dit, ils ne plaisantent pas. C'est tout ou rien. Il n'y a pas de session de rattrapage.

— Et alors ?

— Pour illustrer l'hypothèse d'un mauvais usage du réacteur, ils m'ont montré une nova.

— Pourquoi pas ? Nous utilisons bien le symbole de la tête de mort pour signaler un danger mortel.

— Ils ne connaissent pas les symboles. Leur sélection entre eux est sévère parce que leur but est de perpétuer leur espèce. C'est une nécessité, et il en est de même pour les autres espèces. Pour qu'il y ait des échanges fructueux entre les différentes civilisations de la galaxie, les espèces encore primitives, comme la nôtre peut l'être pour eux, doivent passer un examen. Si nous échouons à faire de Mars le paradis qu'ils nous offrent, alors...

— Le système solaire explosera, c'est ça ?

— Oui. Il est probable que dans le cas d'un mauvais usage, tel qu'il est défini par les No'ui, le réacteur envoie un signal au Soleil, déclenchant sa transformation en nova, et c'est tout le système qui s'enflamme. A l'échelle de l'univers, ce ne sera qu'une étincelle, mais c'en sera fini de l'espèce humaine. Ces novae qu'observent nos astronomes ne sont que les explosions de systèmes habités qui, il y a des milliers d'années, n'ont pas réussi l'examen.

— Je vois, dit Melina, regardant droit devant elle.

— Nous jouons à quitte ou double, dit-il, le visage blême.

— Oui, à quitte ou double, répéta Melina d'une petite voix.

Ils passèrent une intersection de galeries. De l'une d'elles, émergea un excavateur semblable au leur. La poursuite s'engageait.

— C'est Benny, s'exclama Melina. Et il sait conduire !

L'engin de Benny devait être plus rapide, car il les rattrapa rapidement. L'énorme foret pointé comme un canon devant lui commença à mordre dans la tôle de l'excavateur de Quaid. Le son était assourdissant. Soudain la mèche traversa la cloison de la cabine ! Ils se penchèrent en avant, pour éviter d'être transformés en chair à saucisse, mais le foret n'alla pas plus loin.

— Ces trucs sont faits pour percer la roche, pas le métal, qui ne se fragmente pas comme la pierre. Il est bloqué.

— Bloqué ? Alors on le tient peut-être.

Quaid se mit à zigzaguer dans la galerie. Accroché par son rostre, l'engin de Benny valdingua d'une paroi à l'autre. Benny s'empressa de freiner, retirant son foret de l'excavateur de Quaid. Mais il ne put éviter de racler violemment contre la paroi.

Quaid vit dans son rétroviseur Benny qui redémarrait lentement. Un peu plus loin, la galerie s'élargissait sur une dizaine de mètres. Coupant les lumières, Quaid s'arrêta et se gara dans un renfoncement, face à la voie.

— Que fais-tu ? demanda Melina.

— Je vais voir si je peux lui rendre la monnaie de sa pièce.

Ils virent les lumières de Benny approcher lentement. L'extrémité du foret apparut, et Quaid lança son engin en même temps qu'il rallumait ses phares. Il eut le temps de voir le visage grimaçant d'effroi de Benny, en voyant l'énorme mèche de métal foncer sur lui en vrillant, avant de l'épingler comme un papillon. Quelques secondes plus tard, Benny n'était plus qu'un tas de viande hachée, dans le sens littéral, tel que l'auraient entendu les No'ui !

Mais, emporté par sa vitesse, l'engin de Quaid poursuivit sa route et heurta violemment la paroi. A son grand étonnement, celle-ci commença à s'écrouler. Quaid, apercevant un espace vide au-delà, préféra continuer d'avancer plutôt que de courir le risque d'être pris sous les décombres.

— Doug ! hurla Melina.

Quaid vit alors qu'il n'y avait rien d'autre que le vide devant lui, et que ce vide était celui du puits de la Pyramide !

L'engin basculait déjà, quand la tôle déchirée à l'arrière se prit dans un tas de pierres, retardant la chute.

— Saute ! cria Quaid en ouvrant sa portière.

Ils eurent tout juste le temps de sauter et de s'accrocher à un échafaudage, avant que l'excavateur, entraîné par son poids, ne continue de glisser et tombe dans le gouffre.

Mais pourquoi ne suffoquaient-ils pas ? Dans son rêve comme dans l'exploration faite par Hauser, il portait une combinaison spatiale. Puis il se rappela qu'une partie du complexe avait été pressurisée, quand Cohaagen avait essayé d'en savoir plus. Hauser avait pénétré dans la partie non pressurisée, inexplorée par Cohaagen, qui n'en avait pas vu l'utilité.

Ils pouvaient voir l'étendue des installations depuis l'échafaudage. Une gigantesque passerelle métallique traversait le vide, au milieu duquel une immense plate-forme circulaire était soutenue par quatre arches, dont les pieds se perdaient dans les profondeurs du gouffre.

La plate-forme était traversée par d'énormes colonnes, qui elles aussi disparaissaient dans la pénombre, tandis qu'à d'autres niveaux, d'autres arches et d'autres plates-formes formaient une étrange architecture qui semblait suspendue dans le vide.

Quaid descendit jusqu'à la passerelle.

— Viens, dit-il à Melina.

Elle le rejoignit, et ils contemplèrent un instant le long bras qui se tendait au-dessus du vide. Soudain, un grand fracas monta de l'abîme, les faisant sursauter.

— L'excavateur, dit Quaid, réalisant que l'engin avait enfin atteint le fond. Les secondes qui s'étaient écoulées leur avaient paru longues comme des minutes, fascinés qu'ils étaient par la splendeur du complexe.

— Allons-y, dit-il. Tu n'as pas le vertige, par hasard ?

— Non, mais je préfère ne pas penser au vide qu'il y a en dessous.

— Moi aussi, reconnut-il.

Ils se mirent en marche aussi vite qu'ils l'osaient, se gardant de jeter un regard de côté.

26

DÉCISION

LES rues du secteur G étaient désertes. Les gens s'étaient traînés jusque dans leurs misérables logements pour y mourir. Dans le bar de La Dernière Chance, une petite bouteille d'oxygène passait de main en main. Assis par terre, dos à dos avec le barman, la tête de Thumbelina sur ses genoux, Tony attendait la mort.

Dans la Mine de la Pyramide, Richter et seize soldats se tenaient sur les plates-formes. Il braqua une puissante torche sur le trou creusé dans la paroi par l'excavateur de Quaid. Il promena ensuite le faisceau sur la passerelle menant à une plate-forme inférieure.

Et il les vit. Telles deux fourmis, Quaid et Melina cheminaient au-dessus du vide. Richter sourit. Cette fois, ils ne lui échapperaient pas. Il fit signe aux soldats, et ils s'engouffrèrent dans le monte-charge.

Quaid et Melina se hissèrent avec peine sur la plate-forme. Il y avait un monte-charge au centre, ses câbles se perdant dans la pénombre. Les No'ui, qui n'utilisaient pas ce genre d'appareil, avaient décidément pensé à tout. Tout autour d'eux, les colonnes s'élevaient comme une forêt de séquoias de métal aux écorces de rouille.

Soudain un bruit les alerta. Le monte-charge venait de s'immobiliser au niveau de la plate-forme. Ils entendirent la porte coulisser et un martèlement de bottes sur le tablier métallique. Des torches brillèrent dans l'obscurité.

Quaid tira Melina derrière une colonne, mais leur mouvement délogea une plaque de rouille, qui s'écrasa à leurs pieds. Aussitôt tous les faisceaux convergèrent dans leur direction.

— C'est le moment d'appliquer le plan B, murmura Quaid.

— Le plan B ?

— Tu vas voir.

Comme les soldats avançaient, ils virent Quaid courir et se cacher derrière une colonne. Richter et ses hommes se précipitèrent et, encerclant leur proie, firent feu de leurs armes.

Stupéfaction ! Quaid n'était pas là. Mais quatre soldats avaient été mortellement atteints !

Richter grogna, se demandant ce qui s'était passé.

— Dispersez-vous ! ordonna-t-il.

Quaid et Melina virent un soldat approcher. Quaid porta la main à sa montre, et un hologramme apparut à quelques pas d'eux. Melina ouvrit de grands yeux. C'était donc ça ! Un projecteur d'images holographiques ! Astucieuse invention !

Le soldat repéra l'hologramme. Il tira tout en avançant.

Le vrai Quaid surgit derrière lui et, d'une manchette, lui brisa la nuque. Les réflexes de Hauser lui étaient désormais familiers.

Quaid surgit de nouveau de derrière une colonne. Ils furent plusieurs à le voir, cette fois-ci. Ils l'encerclèrent, tirèrent, et se tuèrent les uns les autres.

— Cessez le feu ! commanda Richter. C'est un hologramme !

Quaid passa sa montre à Melina.

Deux soldats, qui observaient entre eux une distance de quelques mètres, virent Melina se matérialiser tout près d'eux. Ils firent feu, et tombèrent de concert.

Trois soldats repérèrent Quaid. Ils approchèrent prudemment. Il sourit.

— Vous croyez que c'est moi ? leur dit-il.

Mais il ne les regardait pas et semblait s'adresser au vide. Ce devait être ce satané hologramme, pensèrent-ils en se retournant pour chercher le vrai Quaid.

Il était pourtant là. Il pivota dans leur direction et les abattit d'une rafale.

Deux autres avançaient, quand Melina surgit devant eux. Ils tirèrent presque en même temps qu'ils s'effondraient, abattus dans le dos par la vraie Melina.

Le vrai Quaid rencontra la vraie Melina, et ils se touchèrent les mains pour s'en assurer. Puis ils coururent de colonne en colonne vers le monte-charge. Il était ouvert et vide. Ils se précipitèrent dedans.

Quaid ferma la porte, et l'appareil s'éleva avec une vitesse stupéfiante. Ils s'étreignirent, soulagés.

— Je ne pensais pas trouver un ascenseur en état de marche, dit Quaid. Cohaagen s'est montré plus curieux de ces installations que je ne l'avais pensé.

— Tais-toi et embrasse-moi, dit-elle.

Mais comme elle levait les yeux vers lui, elle se raidit soudain. Il suivit son regard et vit l'un des panneaux du plafond de l'appareil glisser de quelques centimètres. Richter était sur le toit. Le canon de son pistolet passa dans la fente, cracha une flamme. La balle ricocha contre les parois de la cabine sans les toucher.

Quaid repoussa Melina, et tous deux ripostèrent, mais les balles ricochèrent comme celle de Richter qui, lui, n'avait pas le même problème et continuait de tirer. Un projectile érafla Quaid à l'épaule.

Ils ne pouvaient rester là, à attendre d'être abattus comme des pipes dans un stand de tir. Quaid ouvrit la porte, et Melina et lui s'accrochèrent à l'extérieur de chaque côté du monte-charge. Richter essaya bien de leur tirer dessus, mais il devait s'exposer, à présent, et il redoutait la précision de Quaid autant que celle de la fille, pour les avoir vus à l'œuvre.

Melina, en tentant d'éviter une balle, lâcha son arme,

et n'évita la chute qu'en se raccrochant des deux mains au grillage du monte-charge, ses jambes balançant dans le vide.

Richter visa Quaid, mais celui-ci lui saisit le bras. Levant les yeux, Quaid vit la plate-forme suivante se rapprocher rapidement. Quiconque se trouvant à l'extérieur de la cabine serait broyé ! Richter aussi vit le danger. Il essaya de se dégager mais ne réussit qu'à se faire prendre l'autre bras par la poigne de fer de Quaid.

Richter se retrouva obligé de tirer Quaid avec lui sur le toit, tandis que Melina, de son côté, se hissait de justesse à l'intérieur de la cabine.

Cohaagen se tenait près de la salle de commandes conçue par les No'ui, tandis que les spécialistes de la démolition déchargeaient leur matériel. Il regarda dans la cage du monte-charge. Deux minuscules silhouettes luttaient sur le toit de l'appareil. Quaid avait encore réussi à s'en tirer. L'habileté de Hauser à survivre commençait à déteindre sur lui. Mais il était temps de mettre un terme à son aventure. Il sortit de sa poche une grenade et la posa délicatement dans l'engrenage du monte-charge. Puis il regagna au pas de course la salle de contrôle.

Kaboum ! La grenade explosa, détruisant le mécanisme élévateur et arrachant la cage du monte-charge de ses attaches.

Cohaagen contempla son œuvre avec satisfaction. Voilà, c'en était fini de Quaid et aussi de Richter, qui n'avait que trop longtemps vécu.

Quaid et Richter, emmêlés dans une lutte sauvage, entendirent l'explosion et sentirent le monte-charge branler, puis s'immobiliser. La cage au-dessus d'eux s'abattit lentement, par saccades, comme l'aiguille des secondes sur le cadran d'une montre.

Richter n'en revenait pas.

— Merde ! Il m'a fait ça, à moi ! s'écria-t-il.

— Difficile de se faire des amis dans une fosse à serpents, dit Quaid.

Puis les deux hommes s'accrochèrent au toit, tandis que la cage tombait dans le vide. Mais au lieu de chuter dans le vide, elle rencontra l'une des arches soutenant les plates-formes, et forma un pont entre le monte-charge et ce qui restait de la cage et l'arche.

Mais le choc fut si violent que Quaid et Richter furent arrachés du toit. Ils se saisirent de ce qui leur tomba sous les mains, et trouvèrent chacun un câble, mais ceux-ci n'avaient plus d'attaches, et ils chutèrent.

Quaid n'eut pas le temps de voir sa vie défiler devant ses yeux, car sa chute, mais aussi celle de Richter, fut abruptement stoppée. Son câble s'était accroché à quelque obstacle.

Non, ce n'était pas son câble, mais le leur, car ils pendaient chacun aux deux extrémités du même câble, qui était retenu par la cage abattue en travers de l'arche. Se faisant mutuellement contrepoids, ils se balançaient dans le vide. Ironie du sort, cela faisait la deuxième fois qu'ils se sauvaient la vie.

Il n'y avait rien que le vide autour d'eux. Quaid entrevit un corps immobile à l'intérieur du monte-charge. Melina avait probablement perdu connaissance à la suite du choc qui les avait arrachés à leur perchoir, Richter et lui.

Comme ils se balançaient, Richter profita de l'inattention de Quaid pour se rapprocher et le frapper d'un coup de pied. Il avait visé l'entre-jambes, mais Quaid parvint in extremis à dévier le coup sur sa cuisse, s'épargnant une douleur qui lui aurait peut-être fait lâcher le câble.

Le mouvement fit glisser le câble. Quaid, un peu plus lourd, se retrouva un mètre plus bas que Richter. Au prochain balancement, Richter le frappa dans les côtes.

— Espèce de con ! cria Quaid. Si tu me fais tomber, tu tombes aussi !

— De la merde ! répondit Richter. Et il frappa de nouveau, à la tête, cette fois.

Quaid encaissa le coup. Ses oreilles bourdonnaient.

— Mais réfléchis, abruti ! hurla-t-il. Si je lâche mon bout de câble, il passera par-dessus la cage !

Richter leva les yeux et il comprit enfin que Quaid avait raison. Il se retint de cogner, quand Quaid revint à sa hauteur. Mais Quaid lui saisit un pied et noua rapidement l'extrémité du câble autour de la cheville. Richter essaya de l'écarter de son pied libre.

Quaid se hissa à son propre câble et envoya à Richter une volée de coups de pied.

— T'es dingue ! Si je lâche, tu tombes, cria Richter.

Quaid continua de frapper Richter, qui n'osait pas se défendre de peur de chuter.

— Tu te trompes encore une fois, Richter, lui cria Quaid, et d'un coup de pied magistral à la mâchoire, il fit lâcher prise à Richter. Celui-ci tomba, tête la première. Le câble, noué autour de sa cheville, le retint, mais le choc fit glisser le câble par-dessus la cage, le faisant descendre en même temps qu'il élevait Quaid jusqu'à la cage.

Quaid se hissa sur les poutrelles et il appela Richter, qui se balançait vingt mètres en dessous comme un sac de sable.

— T'as de la chance, Richter. C'est la dernière fois que tu te gourres !

La peur empêcha Richter de répondre. Il savait qu'il était perdu.

Quaid lâcha le câble, et Richter chuta, suivi par son hurlement de terreur.

Quaid espéra trouver un moyen rapide de monter jusqu'à la plate-forme supérieure. Il devait empêcher Cohaagen de détruire le réacteur et, avec lui, toute l'espèce humaine.

Cohaagen et son équipe s'activaient dans la salle de contrôle. C'était une vaste salle aux parois rocheuses et au plafond de quartz, par lequel filtrait la lumière solaire. Gravé sur l'un des murs, Quaid reconnut le mandala chargé de hiéroglyphes que Hauser avait découvert lors de son exploration.

Les soldats plaçaient des charges explosives dans les cavités qu'ils avaient creusées un peu partout à l'aide de marteaux-piqueurs. Le bruit était assourdissant.

Un soldat absorbé dans sa tâche reçut une tape sur l'épaule. Il leva les yeux et se figea. C'était Melina.

Derrière lui, Quaid lui arracha son marteau-piqueur et le lui plongea dans le dos.

Un soldat vit la scène et il se précipita sur Quaid avec son propre marteau. Quaid, passé maître dans le maniement de cet outil, transperça son adversaire, de même que deux autres qui tentèrent de lui barrer la route, alors qu'il se dirigeait vers le mandala.

Cohaagen se saisit du détonateur général et le brancha aux différents câbles correspondant aux charges posées. Pendant ce temps, Melina, qui avait ramassé l'arme d'un des soldats tués, protégeait Quaid sur ses arrières.

Parvenu au pied du mandala, Quaid sortit les explosifs de leurs trous creusés dans la pierre, les jeta au loin, et il s'apprêtait à poser la paume de sa main sur celle de la main de pierre au centre de la figure, quand Cohaagen l'appela.

— Désolé, Doug, mais je ne peux pas vous laisser faire ça.

Quaid se retourna pour voir Cohaagen qui brandissait le détonateur. Il fit signe à Quaid de s'écarter du mur. Quaid se résigna à obéir.

De son autre main, Cohaagen sortit un pistolet de sa veste et le pointa sur Quaid.

— Vous étiez Hauser, et vous avez préféré rester Quaid, un pauvre programme, une ombre de Hauser. Vous avez choisi de n'être rien d'autre qu'un rêve. (Il visa Quaid.) Et tous les rêves ont une fin.

Un coup de feu claqua. Touché au bras et à l'épaule, Cohaagen tomba en arrière. Melina avait bien joué. Quaid bondit et, d'un coup de pied, mit hors d'atteinte le pistolet que Cohaagen avait lâché, mais il vit qu'il tenait toujours le détonateur à la main. Le tyran lui sourit, et il déclencha la mise à feu des charges.

Une gigantesque explosion secoua la salle, détruisant presque toutes choses, à l'exception du mandala, dont il avait retiré la charge.

Un trou s'était formé dans le plafond de quartz, et une formidable aspiration entraînait objets et corps à l'extérieur.

Cohaagen s'agrippait à une pièce du réacteur. Melina était pelotonnée dans un coin. Quaid, s'accrochant à la moindre aspérité, faisait un effort surhumain pour regagner le mandala. Celui-ci n'avait pas été détruit, et il était la clé de la vie. S'il fonctionnait encore, alors tout espoir n'était pas perdu. Sûrement les No'ui avaient envisagé la chute toujours possible d'un météorite sur leurs installations et pris des mesures de protection.

Il empoigna un câble tendu par le vent et se hala vers le bas et le mur au mandala.

Cohaagen se releva sans relâcher sa prise sur une bouche d'aération émergeant du sol.

— Ne faites pas ça ! cria-t-il, comme Quaid, se retenant au câble de la main gauche, tendait la droite vers la main de pierre. Vous allez tuer tout le monde !

Il y avait une telle intensité dans la voix de Cohaagen que Quaid hésita.

— Chaque homme, chaque femme, chaque enfant ! hurla Cohaagen. Ils mourront, Quaid ! Je vous en prie, croyez-moi !

Mais Quaid revit les visages des mineurs du secteur G, suffoquant comme des poissons hors de l'eau. Il revit les visages de cette femme et de cet enfant horriblement déformés par les radiations solaires dans la ville basse. Ce souvenir-là n'avait pas été implanté.

Non, Cohaagen mentait encore, tentait de le manipuler comme il l'avait fait de chacun autour de lui.

— Foutaises, Cohaagen ! cria-t-il.

Et il posa le plat de sa main sur la paume offerte du mandala.

Il ressentit une vibration, et il lui sembla qu'une voix intérieure lui soufflait : « Mission accomplie. »

Un sourd grondement fit vibrer la salle. Le mécanisme se déclenchait ! Les consoles et les autres appareils n'avaient pas plus d'utilité que des objets exposés dans une vitrine. Cohaagen les avait détruits, mais c'était comme s'il avait brisé les boutons d'une radio : il était plus difficile de chercher une station ou d'augmenter le volume, mais l'intérieur fonctionnait.

Tous les rouages de la formidable machinerie conçue par les No'ui s'ébranlaient dans des craquements qui évoquaient ceux d'une mâture de voilier déployant la grand-voile.

La bouche à laquelle s'agrippait Cohaagen s'enfonça soudain dans le sol. Il fut aussitôt happé par le tourbillon et expulsé comme un pantin par le trou dans la voûte.

L'étendue de glace, dans les profondeurs du puits, se mit à luire sous l'effet des premières réactions chimiques. La fission nucléaire commençait d'agir, et elle se poursuivrait jusqu'à ce que la planète entière ait de l'air, de la chaleur et de l'eau.

Melina fut expulsée de son coin par le vent et se retrouva plaquée dans une anfractuosité d'une paroi. Quaid se laissa lui-même emporter pour la rejoindre. S'ils pouvaient tenir jusqu'à ce que la pression retombe...

La salle s'emplissait à présent de vapeur. Elle avait une odeur étrange, et elle était tiède. Le réacteur commençait déjà à produire la nouvelle atmosphère !

L'abîme dégorgeait ses épaves, ses cadavres. Corps de soldats, armes, excavateur, Benny, Richter, le câble noué autour de sa cheville, tout était emporté au-dehors.

Le vent forcissait, à mesure que l'usine à air accélérait son mouvement. Quaid savait que l'air produit s'en allait par d'autres bouches disséminées à la surface, mais tant que ce trou demeurerait, il sortirait également par là. Soudain une rafale les arracha à leur niche. Se tenant toujours, ils s'envolèrent vers le dôme. Sitôt franchi le trou, le vent était moins fort. Ils atterrirent sans mal sur le flanc de la montagne, à quelques mètres du cadavre de Cohaagen. Les yeux exorbités, la langue gonflée, les oreilles rougies de sang, le tyran avait subi le sort cruel qu'il avait réservé à tant d'innocents dans les cabines de dépressurisation. Ce n'était que justice.

Quaid et Melina suffoquaient. Fermant fortement les paupières, ils essayèrent de se protéger les yeux. Ils ne doutaient pas qu'ils allaient mourir, mais au moins étaient-ils ensemble, et la pensée que Mars et l'humanité vivraient allégeait leurs cœurs.

Un gigantesque geyser de vapeur et de gaz jaillissait du trou, formant un grand nuage blanc. Le sol vibrait sous eux, tandis que le complexe intensifiait son activité.

Quaid et Melina saignaient des muqueuses, et ils se serrèrent plus fort l'un contre l'autre, sachant que leur fin était proche.

Puis le grand nuage les noya dans sa brume. Des gouttes d'eau tiède s'écrasèrent sur leurs visages, les graines stockées par les No'ui volaient tout autour d'eux, emportées par le vent qui les disperserait sur toute la surface de Mars, qui verdoierait au prochain printemps !

Et puis Quaid réalisa qu'il respirait ! A côté de lui, Melina aspirait goulûment. Ils se regardèrent. Etaient-ce leurs âmes qui se gorgeaient ainsi d'air ou bien leurs corps ?

Le nuage se déplaça, mais ils pouvaient quand même respirer. Ils levèrent les yeux vers le ciel martien, dont le rouge était en train de virer au bleu au-dessus de la Montagne de la Pyramide.

La nouvelle atmosphère se répandait, et ils avaient survécu parce qu'ils s'étaient trouvés à proximité d'une bouche d'aération, due à la malignité de Cohaagen !

Ils se redressèrent. L'air se faisait plus frais. Des flocons de neige tombèrent. Mais le sol se réchauffait, tandis que la chaleur produite par le réacteur se répandait par toutes les gaines enterrées par les No'ui à travers la planète. Le ciel était bleu, et il neigeait ! Ils se serrèrent l'un contre l'autre pour se réchauffer, mais aussi s'embrasser. La vie était belle !

Tous les dômes de Mars avaient éclaté quand le réacteur avait démarré. Privés de leur protection, les gens s'étaient écroulés sur place, terrifiés à l'idée de mourir dans d'atroces souffrances. Les touristes, eux, s'étaient réfugiés dans les hôtels. Les mineurs, qui se trouvaient au travail, avaient laissé tomber leurs outils, pour attendre, fatalistes, une mort qui ne serait pas plus dure que la vie qu'ils menaient.

Pour les rebelles, l'éclatement des dômes au-dessus du secteur G était presque bienvenu. Ils suffoquaient depuis des heures et des heures, et la dépressurisation mettrait un terme à leur agonie. A la Dernière Chance, Tony eut tout juste assez de force pour brandir le poing vers le ciel et puis...

Un miracle se produisit. Thumbelina s'étira et se redressa sur son séant. Le barman releva la tête et respira. Tony les regarda, bouche bée. Il prit une profonde inspiration, puis une autre. De l'air ! Mais comment... Les pales des grands ventilateurs étaient toujours immobiles. Il emplit ses poumons et éclata de rire. De l'air ! Cohaagen avait donc perdu son monopole ? Ça, c'était un miracle !

Quaid et Melina regardèrent à leurs pieds. La neige fondait, et le sol s'humidifiait. De l'eau ruisselait. Bientôt les graines germeraient, les plantes pousseraient, Mars la Rouge deviendrait Mars la Verte !

Melina se blottit contre Quaid.

— Eh bien, Mr Quaid, j'espère que vous avez aimé votre voyage sur notre charmante planète.

— Aimé, je ne sais pas, dit-il, pensant au prix qu'il leur avait fallu payer pour gagner le droit de vivre.

— Allons, souriez. Vous avez admiré de beaux paysages, tué tous les méchants et sauvé la planète. Vous avez même trouvé la fille de vos rêves.

Elle le taquinait, mais ses mots lui arrachèrent un frisson.

— Je viens de penser une chose terrible, dit-il. Et si tout cela n'était qu'un rêve ?

— Alors embrasse-moi vite, dit-elle. Avant que tu te réveilles.

Quaid chassa les mauvais souvenirs. Il serra Melina contre lui et l'embrassa fougueusement. Il en avait assez de rêver. Le réel, c'était tellement meilleur.

TABLE DES MATIÈRES

Achevé d'imprimer en septembre 1990
sur les presses de l'Imprimerie Bussière
à Saint-Amand (Cher)

PRESSES POCKET - 8, rue Garancière - 75285 Paris
Tél. : 46-34-12-80

— N° d'imp. 2386. —
Dépôt légal : septembre 1990.

Imprimé en France